"Tudo o que a mente humana pode conceber e acreditar, ela pode conquistar."

JAMIL ALBUQUERQUE
Márcio Abbud e Walter Kaltenbach

AS 17 LEIS DO TRIUNFO

A filosofia do triunfo que mais influenciou líderes e empreendedores no mundo

Grupo Editorial

2021

Copyright © 2020 Jamil Albuquerque, Márcio Abbud e Walter Kaltenbach

As 17 leis do triunfo
1ª edição: Setembro 2021

Direitos reservados desta edição: CDG Edições e Publicações

O conteúdo desta obra é de total responsabilidade do autor e não reflete necessariamente a opinião da editora.

Autores:
Jamil Albuquerque, Márcio Abbud e Walter Kaltenbach

Preparação de texto:
João Paulo Putini

Revisão:
Caroline Alves

Projeto gráfico e capa:
Jéssica Wendy

DADOS INTERNACIONAIS DE CATALOGAÇÃO NA PUBLICAÇÃO (CIP)

Albuquerque, Jamil
  As 17 leis do triunfo : a filosofia de sucesso que mais influenciou líderes e empreendedores no mundo / Jamil Albuquerque, Márcio Abbud, Walter Kaltenbach. – São Paulo : Citadel, 2021.
  192 p.

ISBN: 978-65-5047-122-4

1. Desenvolvimento pessoal 2. Empreendedorismo 3. Liderança I. Título II. Abbud, Márcio III. Kaltenbach, Walter

21-3591 CDD - 158.1

Angélica Ilacqua - Bibliotecária - CRB-8/7057

Produção editorial e distribuição:

contato@citadel.com.br
www.citadel.com.br

Sumário

Introdução	7
Capítulo 1: **Definição de propósito**	25
Capítulo 2: **MasterMind (Mente Maestra)**	31
Capítulo 3: **Confiança em si mesmo**	49
Capítulo 4: **Saber lidar com dinheiro**	57
Capítulo 5: **Iniciativa, liderança e sustentação**	65
Capítulo 6: **Uso adequado da mente**	87
Capítulo 7: **Entusiasmo**	95
Capítulo 8: **Autocontrole**	99
Capítulo 9: **O hábito de fazer mais do que o combinado**	107
Capítulo 10: **Personalidade agradável**	115
Capítulo 11: **Pensar com segurança**	127
Capítulo 12: **Concentração e foco na coisa certa**	133
Capítulo 13: **Conseguir cooperação**	139
Capítulo 14: **Tirar proveito do fracasso**	143
Capítulo 15: **Ser tolerante**	153
Capítulo 16: **A Regra de Ouro**	157
Capítulo 17: **A força do hábito**	173
Conclusão	183

Introdução

A FILOSOFIA DO SUCESSO

Se você pensa que é um derrotado,

você será derrotado.

Se não pensar "quero com toda a força",

não conseguirá nada.

Mesmo que você queira vencer,

mas pensa que não vai conseguir,

a vitória não sorrirá para você.

Se você fizer as coisas pela metade,

você será um fracassado.

Nós descobrimos neste mundo,

que o sucesso começa pela intenção da gente

e tudo se determina pelo nosso espírito.

Se você pensa que é malsucedido,

você se torna como tal.

Se você almeja atingir uma posição mais elevada,

deve, antes de obter a vitória,

dotar-se da convicção de que conseguirá infalivelmente.

A luta pela vida nem sempre é vantajosa

aos fortes, nem aos espertos.

Mais cedo ou mais tarde,

quem cativa a vitória é aquele que crê, plenamente:

"Eu conseguirei!"[1]

PENSAMENTOS SÃO CAUSAS

O mundo deve a origem dessa filosofia ao encontro de dois homens notáveis em um fim de semana de 1908; encontro que mudaria a vida não só deles, mas da humanidade, tamanho o impacto daquele episódio extraordinário. O Sr. Andrew Carnegie, escocês, paupérrimo, que migrara para os Estados Unidos com a família quando tinha apenas quatro anos de idade, e Napoleon Hill, um nativo das montanhas de Wise, na Virgínia, filho de lenhadores, órfão de mãe antes de completar dez anos de idade e que morava numa cabana de dois cômodos.

Nesse encontro, o Sr. Andrew relatou a sua história. Quando chegou aos Estados Unidos vindo da Escócia tinha pouco mais de uns centavos no bolso, e anos depois acabou se tornando um dos homens mais ricos do mundo de sua época. Durante o auge de sua carreira, ele conheceu o jovem jornalista e deu a ele uma missão: documentar e compartilhar as estratégias que o transformaram em um dos empresários mais bem-sucedidos de todos os tempos. O resultado? A fórmula para transformar pensamentos em prosperidade!

Sem dinheiro e sem emprego, Napoleon Hill trabalhava como redator na *Bob Taylor's Magazine*. Ele fez uma parceria para escrever sobre casos de sucesso de homens famosos. Embora o trabalho não pagasse muito, apenas o suficiente para cobrir as despesas iniciais, ofe-

---

1. *A filosofia do sucesso*, com esse nome e com essa versão adaptada do manuscrito original da *Law of Success*, edição de 1928, Estados Unidos, está registrada há décadas no MEC e na Biblioteca Nacional do Brasil em nome do MasterMind da The Napoleon Hill Foundation.

receu ao jovem a oportunidade de conhecer os gigantes da indústria e do comércio e traçar seus perfis.

O Sr. Andrew ficou tão impressionado com a mente perceptiva de Hill que, depois de três horas de conversa, convidou-o para passar o fim de semana em sua propriedade de campo. Durante os dois dias seguintes, o Sr. Andrew revelou a Hill a crença de que qualquer pessoa poderia chegar à riqueza se entendesse a filosofia do êxito e os passos necessários para alcançá-la. "É uma pena", disse ele, "que cada nova geração deva encontrar o caminho para o triunfo por tentativa e erro, quando os princípios são realmente bem definidos."

O Sr. Andrew explicou a teoria de que esse conhecimento poderia ser adquirido entrevistando aqueles que haviam alcançado a grandeza. As informações colhidas nessas entrevistas deveriam ser registradas para uma análise do conjunto de princípios. Ele acreditava que seriam necessários pelo menos vinte anos e que o resultado seria "A primeira filosofia de realização pessoal do mundo". Ele se dispôs a fazer as apresentações e pagar as despesas de viagens, caso Hill aceitasse o desafio. O jovem jornalista levou trinta segundos para aceitar a proposta de Carnegie. Mais tarde, Carnegie disse a ele que se tivesse demorado mais de sessenta segundos para tomar a decisão, ele teria retirado a proposta porque: "Se um homem não consegue tomar uma decisão prontamente, uma vez de posse de todos os fatos necessários, não se pode esperar que cumpra qualquer decisão que tomar!".

Hill passou os próximos vinte anos se dedicando à filosofia do triunfo. Nesse tempo, entrevistou dezesseis mil empreendedores, mais de quinhentos milionários, e os 45 homens mais ricos de sua época foram seus interlocutores pessoais. Com isso, conheceu o que levou ao topo seu próprio mentor, Andrew Carnegie, e legou uma grande descoberta à humanidade: a de que é possível transformar a própria mente numa mina de ouro.

CEM ANOS DEPOIS, QUE NÃO FORAM DE SOLIDÃO!

Em 2008, durante um almoço, com meus amigos instrutores Master-Minds, na cidade de Ribeirão Preto, interior de São Paulo, nos demos conta de que fazia exatamente um século que a pesquisa havia começado. Surgiu a pergunta: será que, cem anos depois, ainda valem os mesmos comportamentos empreendedores? Então decidimos comentar o lendário livro do autor de negócios mais vendido de todos os tempos, segundo uma pesquisa feita por uma consultoria inglesa e reproduzida no programa *Conta Corrente*, da Globo News, em fevereiro de 2014.

> **É uma pena", disse ele, "que cada nova geração deva encontrar o caminho para o triunfo por tentativa e erro, quando os princípios são realmente bem definidos.**

Queremos compartilhar com você a análise e interpretação de uma das obras mais fascinantes da literatura de desenvolvimento pessoal: *O manuscrito original – as leis do triunfo e do sucesso de Napoleon Hill*. Iniciado em 1908 e publicado em 1928, esse *best-seller* influencia o pensamento empresarial no mundo inteiro desde seu lançamento. Afinal, um clássico só se torna um clássico quando alcança o futuro e é revisitado de quando em quando.

Este livro não é uma síntese de *O manuscrito original*, é uma versão própria, com corpo renovado, mantendo a alma e o espírito do original, fiel à intenção de Hill, em fácil assimilação e leitura fluida e prazerosa, com comentários que promovem uma atualização das ideias. Como diz Enoir Santos, notável instrutor do Grupo MasterMind, esta obra é "uma inspirativa sobre o original". Optamos por acrescentar, preferencialmente, biografias de nomes brasileiros de sucesso. Como bônus, incluímos a Lei da Força Cósmica do Hábito (Capítulo 17), que Napoleon Hill abordou em obras posteriores, ao aprofundar e aprimorar seu método. Por isso, no decorrer do texto falaremos, por vezes, em dezesseis leis do triunfo (ou seja, uma referência direta ao *Manuscrito original*), e em outras serão mencionadas as dezessete, já incluindo essa que veio posteriormente, conforme citamos.

O leitor há de compreender que muitas propostas apresentadas no original não são mais aplicáveis. Afinal, a grande revolução tecnológica do século 20 estava apenas começando quando Hill apresentou seus insights igualmente revolucionários. Há algumas décadas a gasolina era barata, viagem de avião era novidade, escrevia-se à mão ou à máquina de escrever, o telefone era fixo e tinha fios, a TV era em preto e branco. "Bons tempos aqueles", podem dizer alguns saudosistas. Mas o tempo não para e a evolução é inexorável. A globalização econômica e política que abarca as principais regiões produtivas do planeta exige conscientização e reposicionamento de todos, inclusive das empresas. Renovar é preciso. A excelência costuma decair com o tempo. Uma novidade medíocre pode vencer o talento mais espetacular quando este envelhece. É imperativo se renovar e se reinventar na inteligência, nas ideias e no valor, mas sem perder a essência. Lembre-se de que até os diamantes precisam ser polidos. É preciso coragem para se aventurar na renovação, amanhecendo como o sol, cujo brilho se modifica a cada estação.

POR QUE REVISITAR UM CLÁSSICO?

Tem um ditado árabe que diz: "Ninguém segura o sol quando ele quer nascer". Existem duas espécies de mudanças: as cíclicas e as estruturais, e nenhuma delas pode ser controlada por indivíduos. As mudanças cíclicas são variáveis, relacionam-se à sazonalidade, como as tendências de mercado, e é preciso aceitá-las como parte normal da vida. Já as estruturais são aquelas que produzem transformações radicais, como a invenção do computador, que mudou a forma de se viver, trabalhar, obter conhecimento, fazer compras... ou seja, tudo. São mudanças que nos impedem de continuar fazendo as coisas como antes. É impossível impor resistência. Mudanças cíclicas e estruturais vão continuar acontecendo. Trabalhar a flexibilidade, a resiliência e a habilidade de negociar fará toda a diferença nesses novos tempos.

Alvin Toffler, renomado consultor de governos e empresas, autor de best-sellers como *A terceira onda* e *O choque do futuro*, prevê que em breve não haverá distinção entre grandes e pequenas empresas, mas sim entre rápidas e lentas. Por isso, a primeira qualidade do profissional moderno, seja um executivo ou empresário, é reconhecer novas oportunidades na velocidade dos acontecimentos.

É fundamental desenvolver intimidade com as novas tecnologias, independentemente da idade, do nível cultural e da condição social. Qualquer pessoa que esteja no mercado de trabalho deve aceitar e utilizar as ferramentas disponíveis, em especial a informática e a internet. A tecnologia só substituirá o homem que não aprender a conviver com ela. Se o convívio for saudável, funcionará como um agregado importante na construção da competência pessoal e organizacional.

Os inventos e os inventores estão cada vez mais ousados, criando as bases de um novo mundo construído sobre as escalas microscópicas da nanotecnologia e da biotecnologia em um avanço que parece não ter fim. As mudanças futuras podem igualar ou superar as transformações produzidas por adventos como os da imprensa, das vacinas e dos motores de combustão interna.

Entre os anos 1950 e 2000, o poder de processamento dos computadores cresceu inimagináveis dez bilhões de vezes. Todavia, na frente de cada tela existe um ser humano. Estar preparado para o novo mundo é fundamental. Você está?

UM LEGADO

Quando a Citadel Editora nos comunicou que havia adquirido os direitos de *The Law of Success in Sixteen Lessons* e que lançaria uma versão inédita no Brasil com o título *O manuscrito original – as leis do triunfo e do sucesso de Napoleon Hill*, ficamos emocionados. Enfim, teríamos acesso a esse clássico em nossa língua e às gemas que Napoleon Hill lapidou com a minúcia e destreza de um artesão e a inspiração de um artista.

As Leis do Triunfo codificadas por Hill são a filosofia de realização pessoal que mais influenciou líderes, estadistas e empreendedores do mundo inteiro. Por quê? A grande razão é a forma objetiva e pragmática com que o autor aborda o assunto e os resultados práticos na vida das pessoas. Hill perseguiu respostas como um cientista que procura trazer à luz um segredo da natureza. Foi em busca da fórmula para a realização e o sucesso de maneira infatigável e implacável, até a verdade que estivera ali todo o tempo lhe ser revelada.

Napoleon Hill não foi o primeiro a se horrorizar com a pobreza e a desigualdade. Nem o primeiro a escrever sobre como atingir a prosperidade. Mas fez história como escritor e pesquisador do comportamento humano no ambiente profissional e se tornou o maior nome da motivação mundial porque reuniu tudo sobre o assunto de forma organizada e científica, criando um método que permite a qualquer um construir uma vida acima da mediocridade. Foi o primeiro a descrever a incrível ferramenta que é o MasterMind.

Quando a última página de seu manuscrito foi redigida, Hill legou à humanidade um novo evangelho: o da realização pessoal. E a pessoa que se levantou da frente da máquina de escrever e saiu para o mundo era uma pessoa diferente. As sufocantes e emaranhadas redes de frustrações e enganos autoimpostas tinham ruído, e o caminho estava claro. O autor era agora possuidor do talento único e invisível de transformar sonhos em realidade, pensamentos em realizações.

UM HOMEM DE TRÊS SÉCULOS

Nascido em 1883, em Wise, uma cidade que atualmente tem cerca de três mil habitantes, no estado da Virgínia, Estados Unidos, Napoleon Hill saiu para impactar o mundo. Fundou a filosofia que mais inspirou líderes e empreendedores no mundo inteiro. Tornou-se conselheiro de três presidentes estadunidenses e influenciou a independência de países como as Filipinas, em 1946, com o lema "uma nação, um espírito", tendo também inspirado Mahatma Gandhi em sua luta pelo fim do colonialismo britânico e pela independência da Índia, em 1947. Seu impacto também foi sentido na África do Sul, quando Nelson Mandela, na década de 1990, foi eleito o primeiro presidente negro e quis coordenar a recuperação do país, usando o conceito do MasterMind em suas rodas de conversas, na construção de uma cultura de prosperidade e solidariedade.

Já com as luzes acesas da terceira década do século 21, Hill continua com a mesma força e vigor de quando lançou a sua filosofia na primeira metade do século 20. Ele vivia com a família em uma casa de apenas dois cômodos, nas montanhas de Pound, a oito quilômetros de Wise, quando perdeu a mãe aos dez anos e teve de começar a trabalhar. Seu pai casou-se novamente e a madrasta deu ao enteado a oportunidade de mudar de vida ao lhe presentear com uma máquina de escrever em troca de um revólver que ele costumava usar na cintura. Aquela troca mudou sua vida. Ele atravessou a vida atirando, só que agora, com as teclas de sua máquina de escrever, disparava palavras de esperança como um evangelista da realização pessoal. Já aos treze anos, Hill redigia artigos ocasionais para os pequenos jornais da cidade. E, em 1908, sua carreira sofreu uma guinada ao receber a incumbência de entrevistar o magnata do aço Andrew Carnegie. Foi o início de uma relação que geraria frutos valiosos.

Hill lançou-se à tarefa sem receber remuneração, a não ser o reembolso de algumas despesas iniciais. Dedicou vinte anos a entrevistar empreendedores donos de grandes fortunas, entre eles os inventores do capitalismo contemporâneo, como Franklin Delano Roosevelt, John D. Rockefeller, Henry Ford, Alexander Graham Bell, Clarence Darrow e Thomas A. Edison. O escritor publicou suas descobertas em uma série de artigos e, em 1928, lançou o livro chamado *The Law of Success in Sixteen Lessons*, compilando os dezesseis princípios fundamentais de sua filosofia.

Os princípios catalogados por Hill são a base da realização e se destacam no indivíduo que tem uma vida plena, integral e integrada em todos os papéis que desempenha. A pessoa integral e integrada é a mesma em casa, com os filhos e o parceiro, no ambiente profissional, com os superiores hierárquicos, os colegas e os subordinados, em uma reunião de negócios ou em um ambiente descontraído com os amigos. Sua identidade, caráter e personalidade se manifestam de modo característico em qualquer ambiente ou situação e com quaisquer outros. É autêntica, mesmo que isso custe algum desconforto ou inadequação, pois o que importa não é atender às expectativas alheias, mas colocar a essência em tudo aquilo que faz para deixar sua marca.

O legado de Hill não é uma receita mecânica para vencer sem esforço, mas um mapa do caminho para a vitória. Ou, melhor dizendo, uma escada para o triunfo. As Leis do Triunfo tomaram forma em um dia chuvoso de inverno, enquanto o autor observava fios de água a escorrer pela vidraça. Os filetes pareciam os degraus de uma escada. A imagem despertou sua imaginação e veio a inspiração de descrever suas descobertas em formato de lições, cada uma apresentando um dos princípios. Como os degraus de uma escada, os princípios deveriam ser galgados em sequência.

SEGUIDORES

Já em 1930, na Alemanha, J. Schultz, criador de um treinamento chamado Autógeno, em que apresenta os tipos psicológicos humanos como ótico, acústico e tátil, cita Hill como fonte de pesquisa. Posteriormente, muitos autores e oradores de sucesso tornaram-se seus seguidores. Grandes ícones do pensamento positivo – como Norman Vincent Peele, autor do livro *O poder do pensamento positivo*; W. Clement Stone; Og Mandino, autor do livro *O maior vendedor do mundo*; Earl Nightingale e Mark Victor Hansen – trabalharam diretamente com Napoleon Hill ou com sua fundação homônima. Sua influência pode ser vista nos escritos dos seus antigos parceiros comerciais, como Dale Carnagey, que mudou seu nome para Dale Carnegie. "Muitos anos depois, Dale trocou seu nome parcialmente, quando estabeleceu seu escritório em uma sala do edifício comercial Carnegie Hall, por acreditar que resultava mais crédito associar seu nome com o do célebre edifício e ligar ao homem que foi o motivo da mais bem-sucedida pesquisa sobre realização pessoal."[2] Ecos dos princípios de Hill podem ser vistos em livros escritos por Mary Kay Ash, Dr. Maxwell Maltz, Shakti Gawain, Wally Amos e Dr. Bernie Siegel. John Grinder e Richard Bandler, criadores da neurolinguística, também beberam de sua fonte. Anthony Robbins, um dos oradores de maior sucesso nos tempos recentes, frequentemente tem citado Napoleon Hill como sua inspiração. O *best-seller Os 7 hábitos das pessoas altamente eficazes*, de Stephen Covey, foca os princípios que Hill escreveu cerca de setenta anos antes. No Brasil, o MasterMind Treinamentos contextualizou esses conceitos para a realidade nacional, e em vários estados existe um grupo de notáveis instrutores que difundem seu método.

---

2. PELL, Arthur P. *Enriquece tu vida: el método Dale Carnegie*. Dale Carnegie & Associates, Nova York, 1984. A tradução do excerto é do autor.

UM EXÉRCITO A SEU DISPOR

A Roda do Êxito, com esse nome e com essa versão, adaptada do manuscrito original de *Law of Success*, edição de 1928, e na Roda da Vida de 1941, do livro *Quem aprende enriquece*, está registrada no MEC e na Biblioteca Nacional do Brasil, há décadas, em nome do MasterMind da Fundação Napoleon Hill.

Em seus escritos antigos de 1912 (*Napoleon Hill First Editions*) e 1925 (*Manuscript Lessons*), lançados após sua morte, Hill utiliza-se do exemplo do duque de York e seus mil soldados para tecer analogias que ilustram seus conceitos. O autor comparou as lições de *O manuscrito original* com as tropas de um grande exército, cujos soldados estariam prontos para agir a um determinado comando. Lembre-se sempre da máxima: quem tem exército, negocia, quem não tem, se submete.

"Esses soldados são as forças que entram em todos os esforços organizados dos quais provêm o maior poder pessoal. Domine essas forças e dominarás o seu território de atuação."

Não se pretende induzir uma obediência cega aos dezessete princípios aqui comentados. A ideia é que sejam cultivados e aplicados mediante uma avaliação criteriosa de cada situação. Sob muitos aspectos, as Leis do Triunfo são semelhantes às leis básicas da sociedade e não podem ser violadas impunemente. Você faz escolhas, age e colhe os respectivos resultados.

Os fundamentos e as estratégias são os mesmos para todos, não importa qual a meta: ser o melhor vendedor da empresa, perder peso, comprar a casa dos sonhos, tornar-se um profissional bem-sucedido, ficar milionário ou famoso. Você vai conhecer as leis, mas terá de aplicar o conhecimento em sua vida.

Você não pode contratar alguém para se exercitar fisicamente por você; você mesmo tem de fazer os exercícios se quiser tirar proveito deles. É assim também quando você decide aprender a meditar, a falar uma nova língua, a visualizar o sucesso, a repetir decretos criadores ou desenvolver um novo talento. A boa notícia é que, se você assimilar as leis do triunfo e aplicá-las de forma disciplinada, elas vão alçá-lo a um patamar de resultados extraordinários.

QUEM SÃO OS TRIUNFADORES?

São pessoas que acreditam em Deus ou em alguma forma de energia superior como sublimação suprema e criadora de todas as coisas. Têm a fé como a maravilha da certeza, mas fazem por merecer conquistas tomando as rédeas na condução da vida. Embora pareçam ser como todo mundo, possuem qualidades distintas. Formam um grupo variado e, contudo, partilham de um traço comum – são vencedoras!

Em primeiro lugar, essas pessoas gostam de praticamente tudo que se refere à vida, pois sabem que a vida costuma gostar de quem gosta dela. Sabem que chegarão primeiro à felicidade aqueles que dela se tornarem mais dignos. Diante de necessidade ou possibilidade de realizações que exijam esforço, arranjam energias extras mediante a mobilização de forças físicas, morais e intelectuais. Têm entusiasmo e paixão pela vida e desejam

> **Esses soldados são as forças que entram em todos os esforços organizados dos quais provêm o maior poder pessoal. Domine essas forças e dominarás o seu território de atuação.**

tudo dela. Gostam das cidades, dos animais, das montanhas, dos esportes e de se divertir. Quando se está perto de pessoas assim, nota-se a ausência de queixas, gemidos ou mesmo de suspiros passivos.

Se chove, elas gostam. Se faz calor, elas aproveitam. Se estão em dificuldades ou sozinhas, simplesmente enfrentam o que aparece. Não fingem gostar das situações, mas aceitam aquilo que é e manifestam enorme capacidade de se adaptar à realidade. Se o chão está enlameado, não ficam furiosas. Aceitam como parte do que significa estar vivo. Embora perturbações como doenças, secas, mosquitos, inundações e coisas semelhantes não sejam calorosamente recebidas, não ficam se queixando nem desejando que as coisas não sejam como são. Se as situações precisam ser corrigidas, trabalharão para corrigi-las.

As pessoas triunfadoras não estão aqui como passageiras indolentes, que não deixam marcas pelo chão, mas sim como indivíduos que honram o sangue que corre em suas veias e valorizam o milagre de estarem vivas. Você pode definir os triunfadores das seguintes maneiras:

Pessoas resolvidas

Vivem o agora em vez de se perderem em ruminações do passado ou especulações sobre o futuro. Não são ameaçadas pelo desconhecido. Não se torturam quanto a acontecimentos passados ou por vir. Os momentos antes e após os acontecimentos merecem ser vividos tanto quanto o exato instante dos acontecimentos, e essas pessoas têm grande capacidade de viver intensamente o cotidiano. Não são proteladoras e, embora alguns possam desaprovar seu comportamento, não são ameaçadas pela autocensura. Sempre desfrutam de tudo que vivenciam. Estão ocupadas escrevendo a própria história, enquanto a maioria passa a vida esperando as coisas acontecerem.

Pessoas de bons costumes

Têm ética e conhecem as normas do bem viver. São livres de vícios que aviltam o caráter. São capazes de funcionar sem aprovação e aplauso de outros porque não têm de provar nada para ninguém. São livres da influência das opiniões alheias e basicamente não se incomodam com o fato de alguém gostar ou não do que tenham dito ou feito. Não procuram chocar ou ganhar a aprovação dos outros. São tão dirigidas por razões interiores que não têm qualquer interesse pelo julgamento alheio de seu comportamento. Não é que ignorem o aplauso e a aprovação; apenas não necessitam disso para serem inteiras e se sentirem em paz, felizes e conscientes do próprio valor. Se alguém quiser saber o que pensam, será exatamente o que irá ouvir, mas de modo cortês e sensível, porque não confundem franqueza com rispidez, grosseria ou insensibilidade. Quando ouvem críticas pessoais, não se sentem destruídas ou imobilizadas. Filtram as afirmações conforme os próprios valores e usam-nas para seu desenvolvimento. Não precisam ser amadas por todo mundo, nem guardam um desejo exagerado de serem aprovadas por todos e por tudo o que fazem. Sabem que sempre hão de incorrer em alguma desaprovação. O que as torna especiais é a capacidade de funcionarem da maneira ditada por si mesmas e não conforme ditames de outrem.

Pessoas com senso de humor

Sabem rir e sabem provocar o riso. Adoram ajudar os outros a rir e têm facilidade em criar humor. São alegres sem ser inconvenientes, sérias sem ser carrancudas. Nunca, mas nunca mesmo, usam o ridículo para provocar o riso. Não riem das pessoas, riem com elas. Riem da vida e para a vida e veem as coisas com bom humor.

Pessoas saudáveis

Não acreditam em ficar imobilizadas por resfriados e dores de cabeça e confiam em sua capacidade de se livrar desses males. Não andam por aí alardeando o quanto se sentem mal ou estão cansadas, tampouco ficam enumerando suas doenças. Cuidam do corpo e da mente e se recusam a experimentar a maior parte das enfermidades que mantêm muita gente inutilizada durante vários períodos.

Pessoas orientadas para resultados

Dão a devida importância à organização em suas vidas. Têm disciplina, mas não sentem necessidade de ver as coisas e as pessoas enquadradas em sua maneira de pensar. Entendem que todos têm direito a escolhas. Não encaram o mundo como tendo de ser de algum modo específico. Vivem de maneira funcional e, se nem tudo está como gostariam, acham que isso também está certo. Para essas pessoas, a organização é apenas um meio útil e não um fim. Graças à ausência de neurose organizacional, são criativas. Encaram cada atividade como algo especial, seja fazer uma sopa, escrever um relatório ou cuidar do jardim. Aplicam a imaginação em cada atividade, e o resultado é uma abordagem criativa.

Pessoas sempre dispostas a aprender

Procuram saber mais e querem aprender em todos os momentos da vida. Buscam a verdade, sempre estimuladas pela ideia de aprofundar seus conhecimentos, nunca se considerando um produto acabado. Não se portam de maneira esnobe ou superior, visto que não se sentem assim. Cada pessoa, cada objeto, cada acontecimento representa uma oportunidade de aprendizado. São proativas em seus interesses, não esperam que a informação venha até elas, vão atrás. Não têm reservas em conversar com pessoas humildes, em fazer perguntas e trocar ideias com os eruditos e os poetas.

Pessoas magnéticas

A presença dessas pessoas sempre é notada, e elas magnetizam as atenções. Parecem fortes e serenas ao mesmo tempo; transmitem sua energia no aperto de mão, no olhar, na maneira de falar. Quando se está na presença de alguém assim, desfruta-se da autoconfiança que ela exala.

CULTIVE-SE

Pela lei das probabilidades, é raríssimo alguém possuir todas as qualidades dos triunfadores ao natural. Se você não é um desses afortunados, precisa cultivar o desejo ardente de se aprimorar. O aprimoramento pessoal não é tarefa para qualquer um, mas você não é qualquer um – você é um candidato sério ao triunfo.

Encerramos esta introdução com um texto de George Washington. Eminente pensador e um dos grandes triunfadores do seu tempo, foi o primeiro presidente dos Estados Unidos, estadista que formatou as bases daquela que viria a ser a nação mais poderosa do planeta. Diz a lenda que ele tinha esse poema na parede de seu gabinete e todos os dias o recitava em voz alta.

O triunfo do espírito humano

Você tem tudo o que tiveram as grandes pessoas: dois braços, duas mãos, duas pernas, dois olhos e um cérebro para usar, se for sensato. Todos elas começaram com esse equipamento. Portanto, comece pelo princípio e diga: eu posso!

Observe os sábios e os grandes: comem os alimentos em um prato comum; usam garfo e faca como todos nós; amarram os sapatos com cadarços semelhantes aos nossos. O mundo os considera corajosos e valentes; entretanto, você tem tudo o que eles tinham quando começaram.

Você pode triunfar e se tornar hábil. Pode se tornar ilustre se quiser: você tem braços, pernas e um cérebro para usar. E a pessoa que se alçou a grandes feitos começou a vida com nada mais do que você tem.

Você é o obstáculo que precisa enfrentar, você é que tem de escolher seu lugar, você tem de dizer para onde quer ir, o quanto deverá estudar para conhecer a verdade; Deus o equipou para a vida, mas deixa você decidir o que quer ser.

A coragem deve se originar da alma, a pessoa tem de contribuir com a vontade de vencer. Por isso, reflita: você nasceu com tudo o que as grandes pessoas tinham, com o mesmo equipamento todas elas começaram. Por isso, lembre-se: a maior distância a ser vencida é entre a cabeça e o coração. Encha-se de coragem e diga: EU POSSO!

Capítulo 1

Definição de propósito

O propósito bem definido é o início de todas as realizações. Não ter um propósito é não ter uma direção, é deixar-se levar pelo fluxo da vida sem um destino pessoal. É ser vivido pelos valores, ideias e propósitos dos outros, em vez de viver os próprios. É como não ter uma coluna vertebral, é como ser uma massa líquida que se amolda aos ditames do ambiente sem opor resistência.

OBJETIVO PRINCIPAL DEFINIDO

Digamos, por hipótese, que você decidiu fazer uma viagem. Qual a primeira decisão a ser tomada? O destino seria a resposta óbvia. A vida, por analogia, é uma grande viagem. Por isso, o primeiro passo de uma grande caminhada é descobrir aonde se quer chegar. É melhor estar parado, mas olhando na direção certa, do que correndo na direção errada.

Para ter competência, desempenho ou eficácia, é preciso ter direção. Todos os especialistas em comportamento humano são unânimes em afirmar que o mundo se abre para deixar passar quem sabe aonde quer chegar.

Quem não sabe o que busca corre o risco de não entender o que encontra.

"Trabalho duro e boas intenções não bastam para levar ao triunfo. Afinal, como pode um homem ter certeza de que atingiu o topo a menos que tenha estabelecido na mente algum objetivo definido?", questionou Napoleon Hill.

A importância do propósito definido tem sido ressaltada por praticamente todos os livros de gerenciamento das últimas décadas. Hill não poderia ter sido mais enfático. O objetivo principal leva a uma vida com significado, organizada em torno dessa meta central. José Roberto Pereira Alvim, empresário bem-sucedido na área de construção civil em Ribeirão Preto, no estado de São Paulo, oferece um exemplo interessante do que é fixar um objetivo e mantê-lo vivo na mente. Na juventude, Alvim colocou um helicóptero de brinquedo em seu escritório e prometeu que algum dia teria um de verdade. Quinze anos depois, realizou o sonho.

Uma pesquisa realizada pela revista *Harvard Business Review* apontou que apenas 3% das pessoas tinham um plano de ação escrito para suas vidas. Esses 3% detinham 90% da renda de todos os entrevistados. Sorte ou azar? Nada disso. O fato concreto é que há uma relação direta entre planejamento e realização. Napoleon Hill tinha total conhecimento dessa verdade e foi direto ao ponto.

Deve ter lhe ocorrido que não se pode alcançar um objetivo principal a não ser que também se tenha um plano prático e definido para fazer isso virar realidade. Então, o primeiro passo é decidir qual será o principal objetivo. O passo seguinte é redigir uma afirmação clara e concisa do objetivo, seguida da descrição por escrito do plano ou planos para alcançar a meta. O próximo e último passo será a formação de uma aliança de MasterMind com uma ou mais pessoas que irão cooperar na execução dos planos e na transformação do objetivo principal em realidade.

Defina o que você quer, decida o quanto vai pagar pelo que quer e então pague o preço. Vá em busca do seu objetivo principal munido de um plano minucioso e de um desejo ardente de realização. Associe-se a pessoas que possam e queiram ajudá-lo a ter sucesso.

Outro ponto importante a se considerar é o envolvimento emocional. Dedique-se a um trabalho que goste. A maioria dos que fracassaram de maneira definitiva não gostavam do que faziam ou não se identificavam com a atividade. Qualquer pessoa que veja sua ocupação simplesmente como um meio de ganhar dinheiro degrada seu trabalho; aquele que vê seu trabalho como um serviço para a humanidade enobrece tanto a atividade quanto a si mesmo.

> Trabalho duro e boas intenções não bastam para levar ao triunfo. Afinal, como pode um homem ter certeza de que atingiu o topo a menos que tenha estabelecido na mente algum objetivo definido?
>
> – Napoleon Hill

Adhemar Gonzaga amava o que fazia. O produtor, diretor, roteirista e ator de cinema fundou a Cinédia, primeiro grande estúdio cinematográfico brasileiro, em 1930. Gonzaga tinha um objetivo definido e o perseguiu tenazmente. Fascinado pelo universo do cinema desde criança, começou tendo que superar a oposição da família. Persistiu, enfrentou todos os obstáculos e chegou aonde queria. Seu estúdio produziu cerca de cinquenta filmes e lançou atores como Carmen Miranda, Oscarito, Grande Otelo e Dercy Gonçalves.

Você pode conseguir o que quiser, se quiser com intensidade suficiente e continuar querendo, desde que o objetivo que deseja seja razoável e que você realmente acredite que conseguirá. Os que acreditam que podem alcançar seu objetivo principal definido não reconhecem a palavra "impossível". Tampouco admitem uma derrota temporária.

Eles sabem que terão sucesso e, se um plano fracassa, rapidamente substituem por outro.

ESTABELEÇA METAS PESSOAIS

A maioria das pessoas tem sonhos, mas poucas os transformam em realidade. Para isso, você deve estabelecer metas de longo, médio e curto prazo. São múltiplas metas que complementam umas às outras. Por exemplo, talvez você queira ser astronauta. É óbvio que esse sonho pode ser visto como um propósito de carreira, mas você precisa de mais do que isso para atingir seu plano. Precisa determinar quais metas de longo prazo associadas apoiarão a ideia de ser astronauta. Por exemplo: metas educacionais, financeiras ou familiares. Uma vez que tenha estabelecido as de longo prazo, comece a definir as de curto prazo, que te ajudarão a alcançar a meta maior.

Você pode decidir quão breves serão as metas de curto prazo, mas a duração comum é de cinco anos. Estabeleça objetivos ainda menores que te ajudarão a alcançar as metas de cinco anos. As pequenas metas devem ser bem curtas, como completar um curso ou ler uma coleção de livros. Tenha em mente que cada meta deve sempre apoiar a conquista do objetivo maior.

John Adams, segundo presidente estadunidense, escreveu: "Eu devo estudar política e guerras para que meus filhos possam ter a liberdade de escolher estudar matemática e filosofia. Meus filhos devem estudar matemática e filosofia para dar aos filhos deles o direito de estudar pintura, música, arquitetura, tapeçaria, porcelana ou estatística".

E, lembre-se, não há gratificação imediata nas metas de curto prazo. Por isso, mesmo se todos o abandonarem, é essencial que você nunca desista de si mesmo. Então, o que acontece se você perder aquela promoção no trabalho ou não for indicado para uma posição de liderança que pensou ser tão importante para sua carreira? Há sempre outras promoções para buscar, outro time para liderar, outra equipe para adentrar ou outra empresa para a qual pode mudar.

George Washington dizia: "Mantenha sempre a tua mente calibrada para a perseverança e o espírito forte, pois eles realizaram maravilhas em todas as épocas".

Faça metas nas áreas-chave da sua vida, como familiar, física, espiritual e financeira.

Para monitorar seu desempenho em relação ao objetivo principal definido, responda sempre às seguintes perguntas:

- A que distância estou do meu objetivo?
- Estou avançando na direção daquilo que quero?
- Estou satisfeito com meu desempenho até agora?
- Estou aproveitando para aprender com meu objetivo?
- Estou conseguindo o que quero?

Capítulo 2

MasterMind (Mente Maestra)

Tem uma máxima filosófica que diz: A jornada é o mais belo do destino final. Isso é uma verdade dependendo da companhia. Não são as pessoas mais competentes que importam, mas as pessoas certas. Com as pessoas certas pode se chegar muito longe. "Diga-me com quem fazes aliança e direi a qual tamanho chegarás."

MasterMind é um conceito que vem sendo estudado pelos estadunidenses há mais de duzentos anos. Remonta à criação dos Estados Unidos da América, quando os 56 dirigentes das treze colônias britânicas nas Américas resolveram criar uma aliança de mentes e construir um país no qual qualquer pessoa pudesse vencer, desde que vencesse a si mesmo e às adversidades interpostas em seu caminho. Naquela época, prosperar era somente para quem tinha linhagem sanguínea nobre ou títulos da nobreza. Caso contrário, nascia-se pobre e morria-se pobre. Não havia o conceito de mobilidade social, mas aqueles homens não concordavam com aquele *establishment*, com aquela situação, e resolveram criar uma nação sobre esses dois pilares: liberdade e oportunidade. E a esses dois pilares eles chamaram de MasterMind. Numa interpretação livre significa: onde as pessoas e os objetivos se encontram no mesmo lugar.

ALIANÇA EM TORNO DE OBJETIVOS

Depois do objetivo definido, a ferramenta mais poderosa que existe para se ter uma vida acima da média é a aliança de mentes em torno desse objetivo. Suas alianças dirão aonde você vai chegar. Vamos conhecer essa chave mestra. Como já mostramos, em um fim de semana de 1908, a vida de Napoleon Hill mudou após o Sr. Andrew revelar um segredo com uma palavra que soou quase como que iniciática ao jovem repórter: "Hill, as pessoas bem-sucedidas sabem construir o Mas-

> **Diga-me com quem fazes aliança e direi a qual tamanho chegarás.**

terMind", afirmou o empresário, que atribuiu o próprio sucesso a essa prática. MasterMind é uma aliança de mentes em torno de um objetivo em comum. No *Manuscrito original*, Hill recontou o diálogo que abriu sua mente e mudou sua vida:

Entrevistei o Sr. Andrew por um longo tempo com o objetivo de escrever uma história sobre ele. Durante a entrevista, perguntei a que atribuía seu sucesso. Com um brilho jovial nos olhos, ele disse: "Rapaz, antes que eu responda sua pergunta, pode, por favor, definir o termo sucesso?". Depois de esperar até perceber que fiquei um pouco embaraçado com a pergunta, ele continuou: "Por sucesso você se refere a meu dinheiro, não é?". Respondi que dinheiro era o termo pelo qual a maioria das pessoas media o sucesso, e então ele disse: "Ah, bem, se você deseja saber como consegui meu dinheiro – se é isto que você chama de sucesso –, responderei dizendo que temos um MasterMind aqui em nosso negócio, e essa mente é composta por mais de uma dezena de pessoas que constituem minha equipe pessoal de superintendentes, gerentes, contadores, químicos e outros profissionais necessários. Ninguém nesse grupo é o MasterMind de que falo, mas a soma total das mentes do grupo, coordenadas, organizadas e direcionadas a um fim definido em um espírito de cooperação harmoniosa, é o poder que trouxe minha fortuna. Não existem duas mentes exatamente iguais no grupo, mas cada homem faz o que é esperado que faça e o faz melhor do que qualquer outra pessoa no mundo poderia fazer".

MasterMind é a mente mestra, a mente superior. Quando duas ou mais mentes atuam em perfeita consonância, com os seus esforços dirigidos para um objetivo comum, de maneira equilibrada e harmoniosa, é criada outra mente, fruto dessa união. Quando duas ou mais pessoas coordenam-se em espírito de harmonia e de trabalho na direção de um objetivo ou propósito definido, colocam-se como uma aliança em posição de absorver poder do grande depósito da Inteligência Infinita.

É uma espécie de mente maior, corporativa, com um poder mais potente do que a soma das mentes individuais que participam da coalizão. É uma supermente criada pela fusão de várias mentes. A diretoria de uma empresa – quando existe entre os membros um forte estado de coesão mental, com as mentes pensando e agindo em consonância, dirigidas para uma mesma meta, para um mesmo objetivo principal – pode constituir um MasterMind. Nesse caso, a diretoria tem seu poder multiplicado em comparação com o poder das mentes individuais ou mesmo unidas, mas sem o espírito que caracteriza o MasterMind.

Criar uma aliança de mentes em harmonia é uma das tarefas mais difíceis no mundo dos negócios. Saber criar o MasterMind é saber criar um espírito de cooperação justo e perfeito entre os vários envolvidos em um projeto, fazer com que a equipe e os associados funcionem como uma orquestra sinfônica.

Hill publicou seus achados sobre o que o Sr. Andrew denominou MasterMind muito antes que Carl Jung desenvolvesse o estudo da psicologia. O termo psicológico que mais se aproxima do significado que o Sr. Andrew e Hill atribuíram a MasterMind é inconsciente coletivo, difundido por Jung já na segunda metade do século 20.

Em suas pesquisas sobre homens bem-sucedidos, Napoleon Hill descobriu o MasterMind entre três personalidades da indústria estadunidense: Harvey Firestone, dos pneus Firestone, o inventor Thomas Edison e Henry Ford, da montadora Ford, e observou o seguinte:

> É amplamente conhecido que Henry Ford, Thomas Edison e Firestone foram amigos pessoais e tinham o hábito de irem para uma casa de campo uma vez ao ano para um período de descanso, meditação, recuperação e rodas de conversa. Essa mente de grupo, surgida da coordenação das mentes individuais de Ford, Edison e Firestone, permitiu-lhes sintonizar em forças (e fontes de conhecimento) com as quais a maioria dos homens não está familiarizada. Conta a lenda que em uma dessas conversas saiu o acordo em que Ford falou: "Eu construo o carro. Edison, você fornece o motor e a eletricidade e você, Firestone, fornece os pneus". Eles nem sabiam, mas, já no início do século passado, estavam lançando o conceito de coopetição, onde competidores, fornecedores e todos os envolvidos na cadeia produtiva tem que colaborar um com o outro para que tudo dê certo no final.

WE HAVE A GOLDEN DREAM

Thomas Jefferson foi o redator dos três documentos maestros da maior nação existente: a Declaração de Independência Americana; a Constituição dos Estados Unidos; e o Destino Manifesto. Esse terceiro faz parte dos documentos não públicos de que tanto se ouve falar nas lendas urbanas da nação americana. O fio de Ariadne desse documento continha a frase: "*We have a golden dream*" – Nós temos um sonho dourado de que construiremos uma nação de costa a costa, uma nação tão bela quanto Atenas e tão grande quanto Roma.

Lembrando que as treze colônias, na época, 1776, eram uma "tira" de terra de frente para o oceano Atlântico. O sonho americano é o sonho da conquista. Por isso eles valorizam tanto o vencedor, o super--herói, O Super-Homem, o Capitão América, entre outros. "*America is number one*", ensinam eles nas escolas primárias. Sonho que, ao longo do tempo, foi materializado. Construíram Washington tão bela quanto Atenas e Nova York e tão grande quanto Roma. A expressão "*have a dream*" impregnou a alma americana, o DNA emocional da nação, foi para a boca de seus líderes políticos, para dentro das igrejas e para o sonho de cada imigrante. Estava formada a maior aliança de mente da história humana, a Mente Maestra da maior potência mundial.

Na língua inglesa, MasterMind está dicionarizado há séculos para designar pessoas com inteligência e desempenho excepcionais no planejamento e execução de algum empreendimento. Michael Jordan foi um MasterMind do basquete e Ayrton Senna do automobilismo. No filme *Doze é demais*, o personagem de Steve Martin pergunta aos filhos: "*Who is the MasterMind?*" – Quem é a mente por trás disso?, querendo saber quem havia arquitetado a proeza.

Pense nas pessoas de sucesso que você conhece e verá que são líderes com mentes de mestre, gente capaz de ver além da curva do rio, além dos desafios, vão além das barreiras. Pense em Silvio Santos, Antônio Ermírio de Moraes, Abílio Diniz, Roberto Marinho, Jorge Paulo Lemann, Carlos Wizard, José Carlos Semenzato e tantos outros de excepcional destaque em suas atividades e que sabem construir alianças.

A aliança de MasterMind implica liderança. A fusão de mentes individuais pressupõe a presença de um líder, alguém que sabe o que quer, que tem uma visão de mundo mais abrangente. O líder eficaz sabe ampliar o quociente de inteligência (Q.I.) de sua equipe. Sabe-se hoje que o Q.I. de uma equipe, não obstante o Q.I. individual de seus membros, aumenta ou diminui conforme a liderança. O líder molda a equipe.

> **O líder eficaz sabe ampliar o quociente de inteligência (Q.I.) de sua equipe. Sabe-se hoje que o Q.I. de uma equipe, não obstante o Q.I. individual de seus membros, aumenta ou diminui conforme a liderança. O líder molda a equipe.**

Mediante a coordenação dos esforços de maneira equilibrada, podemos desenvolver nosso poder pessoal. A união do nosso conhecimento com o conhecimento dos outros, utilizados de forma complementar, bem organizados e bem dirigidos, transforma-se em conhecimento mais forte, mais poderoso, produz um ponto de vista expandido.

A mente aberta e receptiva cria condições para invenções fantásticas como o automóvel, o avião, o rádio, o telefone, que, como bem afirmou Marshall McLuhan, são extensões do homem. O automóvel e o avião são extensões das pernas; o telefone, o rádio e a televisão são extensões da voz, dos ouvidos e dos olhos. Na mesma linha, o MasterMind representa uma formidável ampliação da capacidade mental do indivíduo, possibilitando-lhe realizações impensáveis sem a fusão harmoniosa com outras mentes.

SINERGIA

Construir o MasterMind é construir sinergia. Sinergia vem do grego e quer dizer "funcionar junto". O termo vem da química. Os cientistas perceberam que dois elementos com pouco ou nenhum efeito prático quando usados isoladamente poderiam produzir resultados incríveis misturados. Pode-se dizer que, na sinergia, um mais um é igual a três.

No século 1, os chineses misturaram enxofre, salitre e carvão e, por acaso, descobriram a pólvora. Mas a sinergia não parou por aí. No século 10, começaram a usar a pólvora para fins militares. Tempos depois foi inventado o canhão. A sinergia da pólvora com o canhão mudou o mundo. Até então os poderosos construíam castelos no alto de montanhas, o local mais inacessível para invasões. Com a sinergia entre pólvora e canhão, os castelos tornaram-se alvos bem mais fáceis. Era apontar o canhão para o alto e disparar. Essa sinergia derrubou reinos e fez o poder trocar de mãos.

A criação do MasterMind é possível porque nossos pensamentos são uma forma de energia que se propaga pelo espaço e pode ser captada pela mente de outras pessoas. Em todo processo de comunicação existe, além das palavras, a atuação da energia mental, o que explica a simpatia (ou antipatia) entre pessoas que mal se conhecem. Pode haver comunicação inclusive sem palavras. É o caso do amor à primeira vista, uma comunicação transcendental que atinge a essência do ser humano.

O MasterMind é o espírito de corpo de uma empresa, a sinergia capaz de criar a aglutinação justa e perfeita entre as partes, como células de um todo. Muitos de nós já passamos pela experiência de entrar em uma loja e nos sentirmos muito bem ou muito mal sem qualquer explicação objetiva. Quando existe uma aliança de MasterMind entre a equipe de um estabelecimento, sentimos um clima agradável, sentimo-nos bem, e as chances de fazermos negócios ali aumentam.

Mahatma Gandhi conseguiu fundir a mente de milhões de indianos em torno do objetivo de obter a independência da Índia pela via da não violência. Seres humanos desarmados fizeram a Grã-Bretanha, maior potência da época, dobrar-se e ceder-lhes a independência. Isso é MasterMind, um espírito de corpo, de concórdia, em torno de um objetivo.

UM TÉCNICO BRASILEIRO EXCEPCIONAL

Renê Simões é um daqueles casos relevantes do futebol brasileiro. Família pobre, onze irmãos, cercado pela criminalidade da periferia do Rio de Janeiro e sempre flertando com o sonho de ser bem-sucedido. Foi jogador, mas se tornou técnico de futebol com uma carreira brilhante, a ponto de ser o único a levar a Seleção da Jamaica a participar de uma Copa do Mundo, feito que o tornou uma espécie de rei no país. Foi técnico da seleção de Porto Rico, da Seleção Brasileira feminina, do Fluminense e de times internacionais. Ele conta sua experiência de fazer uma nação inteira sonhar um mesmo sonho, que era participar de uma Copa do Mundo, usando o MasterMind.

"Em 1993, fui presenteado pelo meu amigo Júnior Reis, treinador de goleiros do Al Arabi do Qatar, com o livro *O manuscrito original*, de Napoleon Hill. Na época, eu era técnico do Al Rayan, no mesmo país. Recebi o presente como se fosse mais um dos tantos livros que já havia lido. Puro engano! Naquele livro de mais de mil páginas estava contida a possibilidade de sobreviver ao inverno, resistir ao outono, passear pela primavera e me deliciar com o verão de todo o meu potencial, quer na vida pessoal ou profissional. As leis apresentadas por Hill faziam sentido em tudo o que eu queria e pretendia ser. Devorei cada página, fiz anotações, questionei, duvidei e acreditei. Todas essas anotações e comentários, dezesseis anos depois, estão aqui ao meu lado no livro já amarelado e com a conservação afetada por ter sido emprestado a outros. Esse fato não me permite que escreva qualquer afirmação que não seja o que senti naqueles dias de setembro de 1993. A lei que apliquei com toda a ênfase foi a segunda, num momento crucial de minha carreira e de minha vida. O próprio presidente da Jamaica me convidou para um projeto de nação. O futebol tornou-se para eles um projeto de Estado. Eles eram abaixo da média em todos os sentidos. Pobres, sem organização e indisciplinados. Cheguei a ser ameaçado, mas não desisti. Consegui, com base nos ensinamentos de Hill em sua lei da Mente Mestra, unir a mente de três milhões de seres humanos em torno de um objetivo bem definido. Todos respiravam o mesmo sonho, a mesma imagem. Dado o espaço que eu tinha na mídia, levei a nação inteira a dar as mãos com a frase: 'um sonho que se sonha só é só um sonho, mas um sonho que se sonha junto é realidade'. A frase é de Raul Seixas, mas a base de sustentação era Napoleon Hill. Conseguimos. Uma nação inteira vibrava numa só força, numa só voz. Isso consagrou a minha carreira de tal modo que ando pelo mundo contando essa experiência. Tudo isso graças à compreensão da lei do MasterMind que me tirou de uma condição adversa para me levar aos mais altos pícaros da profissão. Desde então, sempre que posso, divulgo essa filosofia maravilhosa."

Renê também se utilizou do MasterMind quando comandou o Coritiba, em 2007. O técnico tirou o time da segunda divisão do Campeonato Brasileiro e o levou para a elite do futebol nacional com quatro rodadas de antecedência. Ao assumir o cargo, Simões escreveu uma carta para a torcida afirmando categoricamente: "É preciso criar um MasterMind, ou seja, uma onda de vibração na qual diretoria, comissão técnica, imprensa, jogadores e torcida estejam todos na mesma frequência. Todos unidos em um só pensamento e comportamento: Coritiba na primeira divisão".

O treinador também foi convidado a comandar o Fluminense no Campeonato Brasileiro de 2008. O tricolor estava em situação complicada. Questionado pela imprensa sobre qual seria a estratégia, Simões respondeu: "Agora é a hora do que chamam de MasterMind, todo mundo na mesma vibração". Apesar das dificuldades, o treinador manteve o time na primeira divisão.

MASTERMIND A SEU FAVOR

Imagine o que essa poderosa ferramenta pode propiciar a você em sua vida profissional, familiar ou social. Não estamos falando de nada místico. O ser humano é dotado de um corpo que se move de acordo com as leis da física. Também tem tendências para responder a estímulos; todavia, acreditar que o ser humano é só isso constitui um imenso despropósito. Além do corpo, temos a mente, a vontade, um espírito capaz de sustentar ideais transcendentes, princípios éticos, sentimentos espirituais e uma conexão com tudo o que existe. Concentrar-se apenas no aspecto material do ser humano e negar a existência de suas outras dimensões é equivalente a viver em um cubículo no pequeno porão de um castelo com dezenas de aposentos majestosos.

Temos diversos exemplos de brasileiros de sucesso que sabem utilizar o MasterMind com resultados surpreendentes. Raul Randon, fundador das Empresas Randon, tinha como lema o trabalho em equipe e sempre soube selecionar seus associados. "Estamos cercados de gente boa. Sem elas, não é possível crescer", dizia ele. Desde o início da carreira, Raul Randon aplicou o princípio do MasterMind e, graças a isso, conseguiu erguer um império a partir de uma oficina mecânica. A Randon Implementos e Participações é hoje uma *holding* de dez empresas, atuando em mais de cem países nas áreas de implementos rodoviários, vagões ferroviários, veículos especiais, autopeças, sistemas automotivos e serviços, contando com mais de dez mil funcionários.

A potência Randon nasceu na mente dos irmãos Raul e Hercílio e se tornou realidade graças aos esforços coordenados e à maneira harmônica com que souberam conduzir suas atividades. À medida que os negócios se expandiram, mais pessoas foram incorporadas ao ambiente de harmonia. Raul Randon implantou diversos projetos para garantir e melhorar cada vez mais a qualidade de vida dos colaboradores, conseguindo fazer da empresa um local de trabalho agradável, o que contribui para a produtividade.

Se a força faz vencedores, a concórdia faz invencíveis. A presença da harmonia é imprescindível para que o MasterMind se cristalize e produza efeitos práticos. MasterMind é o avesso do "cada um por si", é o outro lado dessa moeda. Não é um olhando para os outros, é todos olhando na mesma direção.

Que tal a sua habilidade para construir um inconsciente coletivo de harmonia em torno de objetivos comuns? Que tal a sua habilidade para estabelecer alianças de MasterMind nos locais onde atua – em casa, na escola, no trabalho, na equipe com quem pratica esporte?

FORME UM GRUPO DE MENTES BRILHANTES

Todo mundo sabe que duas cabeças pensam melhor do que uma quando se trata de resolver um problema ou conseguir determinado resultado. Imagine, então, que maravilha seria participar de um grupo permanente de cinco ou seis cabeças pensantes que se reunisse regularmente a fim de trocar ideias e incentivos. Em sua conversa com Napoleon Hill, o poderoso Sr. Andrew frisou a importância de seu grupo de MasterMind para o sucesso de seus empreendimentos. Hill escreveu:

> Sem qualquer conhecimento técnico de siderurgia, o Sr. Andrew combinou e agrupou homens de tal forma que

compôs um MasterMind com o qual construiu a indústria de aço de maior sucesso do mundo durante sua vida. (...) O MasterMind mencionado pelo Sr. Andrew era composto por mais de doze mentes. No grupo havia homens de praticamente todos os temperamentos e inclinações. Cada pessoa estava ali para desempenhar um determinado papel e nada mais. Havia entendimento perfeito e trabalho de equipe entre eles. O trabalho do Sr. Andrew era manter a harmonia. E ele fez isso maravilhosamente bem.

Quem conheceu o Sr. Andrew intimamente jamais atribuiu a ele alguma capacidade incomum ou poder genial, exceto a capacidade de selecionar homens que poderiam e cooperariam em espírito de harmonia na execução de seus desejos. Quando o Sr. Andrew formou uma aliança com mais de vinte mentes cuidadosamente selecionadas, ele criou, pela composição do poder mental, uma das maiores potências industriais que o mundo já viu. A filosofia do MasterMind assenta-se sobre a ideia de que é possível conseguir mais em menos tempo quando se trabalha em conjunto. A fusão de mentes em harmonia abre um canal de comunicação com a Inteligência Infinita, e os participantes da aliança têm insights que ampliam sua visão limitada e permitem realizar projetos e alcançar metas com mais rapidez. Nas palavras de Napoleon Hill:

O poder do MasterMind é imediatamente perceptível na forma de uma imaginação mais viva e do que parece um sexto sentido. É graças a esse sexto sentido que novas ideias lampejam na mente dos integrantes. Se o grupo de MasterMind se reuniu com o objetivo de discutir determinado assunto, ideias relacionadas a este jorrarão na mente de todos os participantes, como se uma influência externa estivesse ditando-as.

Hill deixou claro que a aliança mais eficiente é aquela que agrega indivíduos com talentos diversos, pois a diversidade proporciona perspectivas distintas e estratégias para encarar os desafios na busca do objetivo definido. Ao formar seu grupo de MasterMind, considere convidar pessoas de diversas áreas profissionais. Temos a tendência de fazer as coisas da maneira que conhecemos e dominamos; quando pessoas de diferentes origens discutem um assunto, podem surgir novas soluções para velhos problemas.

AMÁLGAMA DE UMA ALIANÇA MASTERMIND

Cada integrante precisa ter perspectivas, experiências de vida, talentos e relacionamentos que beneficiem o grupo inteiro. Afinal, o propósito é ajudar uns aos outros. As contribuições e sugestões podem salvar o negócio de alguém, promover uma troca de emprego, incrementar a relação entre pais e filhos, melhorar o ambiente de trabalho e assim por diante. Para que o grupo seja eficiente e produtivo, as pessoas precisam estar à vontade e seguras de que o que falarem sobre a vida pessoal e profissional será mantido em sigilo.

Pedrinho Borgonha e Lino Rohden, presidentes das associações comerciais de Pouso Redondo e Rio do Sul, respectivamente, e Clóvis Peruzzolo, vice-presidente regional da Federação das Associações Comerciais de Santa Catarina (Alto Vale), formam um grupo de MasterMind. Borgonha disse: "Alguns dos toques mais valiosos que recebi para melhorar como pessoa e como profissional vieram do meu grupo de MasterMind. Eles questionaram meu excesso de compromissos, minha dificuldade em delegar, meu hábito de pensar pequeno e de

A DINÂMICA DE UMA REUNIÃO DE MASTERMIND

apostar apenas no que é seguro. O amálgama unificador é a confiança. Só a confiança permite a formação desse nível de intimidade".

A DINÂMICA DE UMA REUNIÃO DE MASTERMIND

O tamanho de um grupo de MasterMind é de, no mínimo, duas e, no máximo, doze pessoas. Se for maior, ficará difícil de controlar, e as reuniões se tornarão longas. Além disso, o contato pessoal entre os participantes ficará prejudicado. Uma hora ou duas, no máximo, é o tempo ideal para um encontro. Nas primeiras reuniões, cada integrante deve inteirar os demais sobre sua situação pessoal e profissional, as oportunidades que procura, as necessidades que tem e os desafios que enfrenta. Isso permite a troca de ideias que beneficiem cada integrante. Nas reuniões posteriores, os participantes fazem comentários rápidos sobre sua situação, informam se algo mudou e buscam informações de que necessitem. Esse processo assegura que todos tenham suas necessidades atendidas e, ao mesmo tempo, reforça o vínculo do grupo. É recomendável ter sempre alguém que controle o tempo para garantir que todos exponham suas questões.

Elementos essenciais de uma reunião de MasterMind

- O encontro deve começar com uma prece para que o grupo se sinta preenchido e rodeado por uma poderosa energia que auxilie na satisfação das necessidades de todos. O autor da prece pode ser escolhido por sorteio ou em sistema de rodízio. Exemplo de prece: "Pedimos para ser preenchidos e rodeados de luz e que os nossos corações se abram para receber orientação divina".

- Embora a duração normal de apresentação individual seja de cinco a dez minutos, às vezes um participante pode precisar de tempo extra para discutir uma situação particularmente difícil. Cabe ao controlador do tempo negociar as exceções para garantir que todos falem e impedir que membros com tendência dominadora, loquazes ou muito necessitados monopolizem a reunião.

- "Preciso de contatos", "Estou perdido com esse novo aspecto do meu negócio", "Estou procurando um perito para me ajudar a desenvolver essa ideia", "Preciso de US$ 50 mil", "Preciso de conselhos para melhorar o atendimento aos clientes". As questões levadas para a reunião de MasterMind podem ser pessoais ou profissionais, não importa. Desde que todos os membros recebam retorno, o envolvimento e o comprometimento com as metas do grupo permanecerão firmes e fortes. É normal o grupo passar por fases. No início, os temas dominantes são de natureza profissional. À medida que os membros vão se conhecendo, os assuntos começam a migrar para a área pessoal: "Minha mulher e eu estamos com problemas", "Meu filho está muito rebelde", "Acabei de descobrir um câncer".

- Uma vez que todos os assuntos tenham sido apresentados e discutidos, o controlador do tempo pede que cada um se comprometa a agir no sentido de buscar uma solução para o problema apresentado até a reunião seguinte. "Muito bem, vou fazer três anúncios para contratar um novo vendedor", ou "Vou indicar seu novo serviço aos meus clientes". Envolva-se incondicionalmente com o objetivo. O compromisso pessoal fortalece o compromisso do grupo em se ajudar mutuamente para que cada um atinja suas metas.

- O primeiro tópico dos encontros deve ser um relatório sobre a meta que cada membro se comprometeu a alcançar na reunião anterior. A responsabilidade é uma característica valorizada; todos verificam se os objetivos foram atingidos. As pessoas ficam mais produtivas quando têm prazos a cumprir. Sabendo que serão cobradas na semana seguinte, é natural que façam tudo para cumprir o compromisso no prazo estipulado.
- Uma boa forma de aprofundar os vínculos entre os membros do grupo e manter os ânimos em alta é fazer com que cada um compartilhe uma história de sucesso. As pequenas conquistas alcançadas desde a última reunião são preciosas, pois aumentam a sensação de que o processo está funcionando e de que vale a pena continuar envolvido. Nós chamamos essa atividade de "momento das boas notícias".
- A reunião pode terminar com uma prece coletiva de agradecimento pelas benesses conquistadas ou com cada integrante dizendo algumas palavras de apreço aos demais.
- O líder do dia deve sempre fazer um agradecimento final pela presença de todos e encerrar a reunião.

Caso você prefira formar aliança com apenas um parceiro, basta que vocês dois estabeleçam suas metas e combinem de conversar regularmente por telefone. O objetivo é atualizar um ao outro sobre o andamento dos projetos, se estão dentro dos prazos, se fizeram progresso, se surgiram novas questões etc.

Ter a obrigação de relatar suas ações para alguém é uma motivação e tanto para o cumprimento de uma meta. Isso é especialmente verdadeiro quando se trata de um profissional liberal que trabalha em casa. Saber que você vai falar com o seu parceiro na quinta-feira faz com que a quarta-feira seja um dia especialmente produtivo. Vença a timidez.

Peça que seu parceiro de MasterMind compartilhe ideias, informações, contatos e recursos. "O que você acha disso? Como você agiria no meu lugar?" O relacionamento ideal é aquele em que seu parceiro o estimula quando você está por baixo. O segredo é escolher pessoas tão entusiasmadas e motivadas para conquistar algo quanto você – e comprometidas em ajudá-lo a alcançar o sucesso. Lembre-se sempre de que MasterMind é a fusão de duas ou mais mentes em espírito de perfeita harmonia em busca de um objetivo definido. Hill faz uma advertência explícita:

> Se algum membro da aliança amigável perder a fé no MasterMind remova-o e substitua por outra pessoa. (...) Você não pode ser bem-sucedido quando cercado de associados desleais e hostis, não importa qual seja o objetivo principal definido. O sucesso é construído sobre lealdade, fé, sinceridade, cooperação e outras forças positivas com que se deve abastecer o ambiente.

Capítulo 3

Confiança em si mesmo

Você tem dentro de si todo o poder de que precisa para conseguir tudo o que quiser neste mundo, e a melhor maneira de aproveitar esse poder é acreditar em si mesmo. Você está constantemente transmitindo o que pensa de si, e, se não tiver fé, os outros sentirão. As pessoas irão acreditar em você somente quando você acreditar em si. Entretanto, tenha clara a diferença entre autoconfiança, baseada no sólido conhecimento do que você sabe e do que pode fazer, e egocentrismo, baseado apenas no que você desejaria saber ou fazer.

ESTOFO DA LIDERANÇA

Confiança em si mesmo é a forma mais genuína de motivação. Uma pessoa que confia em si tem determinação para atingir seus objetivos e flexibilidade para lidar com situações adversas. Autoconfiança é a fé em nosso ser e em nossas sinceras e íntimas convicções. Por que você não teria grande fé e confiança em suas convicções mais profundas? Afinal, os cientistas declararam que temos inteligência inata. Cada partícula de nosso ser pulsa com inteligência ininterrupta.

Autoconfiança é um dos tesouros mais difíceis de serem conquistados. Para chegar até ele é preciso passar por campos sombrios. É como se nosso eu interior dissesse: "Mostro-lhe os meus fantasmas para depois lhe entregar o meu tesouro".

Pessoas bem-sucedidas tomam decisões. Reúnem todos os fatos disponíveis e decidem com firmeza. Pessoas malsucedidas demoram para tomar decisões e as modificam com frequência, simplesmente não se posicionam.

Como você pode superar o hábito de evitar decisões? Comece com o próximo problema que enfrentar e tome uma decisão. Tome qualquer decisão. Qualquer decisão é melhor do que decisão nenhuma. Se cometer alguns erros no início, tenha coragem, siga em frente e começará a construir um método de tomada de decisões. Sua autoconfiança aumentará, e logo você estará tomando decisões de envergadura.

A confiança é contagiante. A falta de confiança também. Ninguém liga muito para uma pessoa a quem falta autoconfiança. Ela não atrai nem convence porque sua mente é uma força negativa que repele.

Aprenda a se perdoar pelos erros e fracassos momentâneos. Afinal, a pessoa não é mais humana quando ganha do que quando perde, não é mais humana quando compra um carro novo do que quando compra um velho, não é mais humana quando se porta bem do que quando se porta mal.

Dedique-se ao profundo e contínuo processo de autoconhecimento. A vida é uma grande jornada para descobrir quem somos. Quando você descobre quem você é, encontra a paz.

> **Pessoas bem-sucedidas tomam decisões. Reúnem todos os fatos disponíveis e decidem com firmeza. Pessoas malsucedidas demoram para tomar decisões e as modificam com frequência, simplesmente não se posicionam.**

Lembremo-nos do exemplo de Chiquinha Gonzaga, filha de uma ilustre família do império. Em 1863, aos dezesseis anos, foi obrigada a se casar com um oficial da marinha mercante, com quem teve três filhos. Vivia reclusa, confinada ao navio do marido e impedida de se dedicar à música, sua grande paixão. Seis anos depois, Chiquinha tomou a corajosa decisão de abandonar o marido e enfrentar o escândalo. Sua verdadeira personalidade então floresceu, e ela entregou-se de corpo e alma à música.

Chiquinha Gonzaga foi a primeira compositora popular do Brasil. Compôs cerca de duas mil músicas, entre elas "Ô abre alas", tida como a primeira marcha carnavalesca. Teve uma vida intensa, produtiva, variada, inovadora, plena de criações. Essa brasileira é um retrato de como a força mental e a autoconfiança superam todos os obstáculos. Quando a pessoa confia no seu taco, tudo fica mais fácil. O poder de realização aumenta, os objetivos ficam mais próximos. O segredo está na arte de aprender a gostar de si.

VÁ COM MEDO, MAS VÁ

Você se orgulha do líder que vê no espelho? Ele é o líder que tem atitudes éticas que você admira? Tem a postura de um líder que você respeita e sente prazer e segurança em seguir? Essas respostas darão o norte para o enfrentamento de seus medos internos. Isso é receber um *feedback* de si mesmo. Nunca é demais lembrar que *feedback* é o café da manhã dos campeões.

Você adquire a estatura de um líder quando aprende a lidar com seus medos, confiando em si e se dedicando continuamente ao autoconhecimento. Coragem não é ausência de medo. Coragem é enfrentar o medo. Assim, não existe coragem sem medo.

Napoleon Hill identificou seis tipos de medo:

- medo da pobreza;
- medo da velhice;
- medo da crítica;
- medo de perder o amor de alguém;
- medo da doença;
- medo da morte.

Medo da pobreza

É também o medo de ficar endividado e falir. Nasce da tendência natural do homem de dominar seu semelhante. Relaciona-se ao domínio econômico, ao domínio do mais pobre (fraco) pelo mais rico (forte). Hoje, o indivíduo é medido pelo poder econômico. A verdade é que a pessoa pobre se sente inferiorizada diante de alguém com maior poder econômico. "Nada traz tanto sofrimento e humilhação quanto a pobreza", afirmou Hill. Há o aspecto da dependência, de precisar do outro. Uma das situações mais degradantes é o temor que muitos empregados sentem de seus patrões, gerando um estado de submissão. A desigualdade é uma realidade que assume proporção calamitosa em muitas sociedades. Para muitos, dinheiro é sinal de felicidade, e sua falta é motivo de infelicidade.

Medo da velhice

Deriva da vinculação de idade avançada com decadência física e econômica. O declínio das forças e da saúde pode tornar a pessoa dependente, sem autonomia, o que é degradante. Em muitos lares, o idoso se vê na condição de peso morto. No mundo contemporâneo, essa situação está fadada a cair por terra, dado que cresce a consciência de que o idoso não precisa ser velho e inútil, podendo manter-se produtivo e cooperar com a família. Se os jovens de hoje encamparem essa verdade como uma realidade concreta, com certeza será eliminada grande parte desse medo. A velhice também assusta pela possibilidade de desamparo e solidão e pela aproximação da morte, que traz consigo o fantasma do desconhecido.

Medo da crítica

Aparece com grande frequência no âmbito do trabalho – o medo de ter um projeto rejeitado, de ser censurado pelo chefe ou até pelos colegas, de ser reprovado em uma avaliação, de enfrentar uma plateia. Pura manifestação de fraqueza, pode ser motivo de fracasso, porque tolhe a pessoa, mina a ação e a iniciativa. Faça uma autoanálise, avalie-se e reverta o quadro procurando valorizar-se, instaurando uma imagem positiva de si. A pessoa com autoestima e autoconfiança em alta, consciente de suas qualidades e dos pontos a melhorar, de seus aspectos positivos e negativos, não se impressiona com o que os outros dizem. Sabe que um fracasso nunca é definitivo, é apenas um tropeço, um acidente de percurso, e não deve ser motivo de desânimo e, sim, combustível para continuar lutando. Pare de se deixar influenciar pelas críticas. Erre quantas vezes for necessário até acertar. Cultive a autoestima, conheça-se e deixe de se preocupar com a opinião dos outros.

Medo de perder o amor de alguém

O ciúme é o mais perverso filho desse medo e Hill o considera uma "psicose precoce mais ou menos branda". O ciúme cega a razão e pode levar a pessoa à loucura e a cometer violência. No fundo desse medo está a insegurança. A pessoa nessa situação acaba deixando de realizar projetos, abre mão de sua vida e de seus sonhos para viver a vida da outra pessoa, procurando sempre agradá-la em vez de fazer aquilo de que gosta. Verifique se está nessa situação e pondere se vale a pena você se transfigurar em outra pessoa, ser o que não é e, pior ainda, condenar-se ao fracasso. Combata esse medo com toda a sua força, com todas as armas.

Medo da doença

Tem muito a ver com os medos da pobreza e da velhice. Além da possibilidade concreta de sofrimento, existe também a dúvida com relação aos desdobramentos da doença, como a ausência de apoio moral e financeiro, a falta de carinho, o isolamento, a solidão. A noção de impotência diante da enfermidade é muito forte e chega a aterrorizar certas pessoas. Você não é peru que morre na véspera. Confie, pense apenas na saúde e, acima de tudo, aja, mantendo um estilo de vida saudável.

Medo da morte

É o temor do desconhecido. Para enfrentar esse medo, viva de acordo com sua fé. O medo é sempre desafiador, mas precisa ser enfrentado para ser superado. Existem três fases do medo: temor, fobia e pavor. Saber diferenciar uma da outra é lucidez.

O temor é um medo preservacionista. Se tenho medo de que um carro me atropele, não ando no meio da rua. O temor nos torna prudentes, desperta o instinto de sobrevivência.

Fobia é algo doentio, que só existe dentro da pessoa, com origem em experiências passadas, muitas delas na infância ou traumas da vida adulta. Uma pessoa pode ter medo de ver cobra até na TV porque na infância teve uma experiência negativa. Cobra na TV não faz mal a ninguém, mas para essa pessoa faz, pois sua mente reage à percepção interna.

Pavor é um sentimento paralisante com origem em uma fobia que se agigantou.

A coragem não é um milagre, é um hábito. O medo não é realidade, é um hábito. Qual é a sua escolha? O medo ainda tem algum valor, já a covardia, nenhum.

A autoconfiança produz os frutos da persistência e da perseverança e pressupõe estar disponível para a ação. O mundo não lhe paga pelo que sabe, mas pelo que você faz. O universo recompensa a ação. Aja!

Napoleon Hill fez observações sagazes sobre a maneira certa de exibir a autoconfiança:

> Autoconfiança é algo que jamais deve ser proclamado ou anunciado a não ser pelo desempenho inteligente de ações construtivas. Se você tem autoconfiança, aqueles ao seu redor vão descobrir. Deixe que façam a descoberta, e você ficará livre da suspeita de egocentrismo. A oportunidade jamais espreita a pessoa egocêntrica, mas críticas e observações ruins, sim. A oportunidade desenvolve afinidade muito mais fácil e rapidamente com a autoconfiança do que com o egocentrismo. Autoelogio nunca é uma medida adequada de autoconfiança. Tenha isso em mente e deixe sua autoconfiança falar somente pela língua do serviço construtivo prestado sem espalhafato ou rebuliço. (...) Acredite em si, mas não diga ao mundo o que você pode fazer – mostre!

A escritora Marianne Williamson escreveu um lindo poema que fez parte do discurso de posse de Nelson Mandela, primeiro presidente negro da África do Sul, que é um verdadeiro tratado sobre o medo:

Nosso maior medo não é o de sermos incapazes.

Nosso maior medo é descobrir que somos muito mais poderosos do que pensamos.

É nossa luz, e não nossas trevas, aquilo que mais nos assusta.

Vivemos nos perguntando: quem sou eu, que me julgo tão insignificante, para aceitar o desafio de ser brilhante, sedutor, talentoso, fabuloso?

Na verdade, por que não?

Procurar ser medíocre não vai ajudar em nada o mundo ou os nossos filhos.

Não existe nenhum mérito em diminuir nossos talentos apenas para que os outros não se sintam inseguros ao nosso lado.

Nascemos para manifestar a glória de Deus – que está em todos, e não apenas em alguns eleitos.

Quando tentamos mostrar esta glória, inconscientemente, damos permissão para que nossos amigos possam também manifestá-la.

Quanto mais livres somos, mais livres tornamos aqueles que nos cercam.

Você está preparado para assumir o comando da sua vida e ser totalmente responsável por ela?

Capítulo 4

Saber lidar com dinheiro

"A maioria das pessoas pensa mais em como gastar o que tem do que em maneiras de poupar. A ideia de poupar e o autocontrole e autos-sacrifício que a acompanham estão sempre ligados a pensamentos de natureza desagradável, mas pensar em gastar é eletrizante. Na verdade, poupar pode se tornar tão fascinante quando gastar, mas não até se tornar um hábito regular, bem fundamentado e sistemático."

– Napoleon Hill

O dinheiro é o mediador comum de todas as relações econômicas neste planeta. É a seiva do mundo material, da mesma maneira que a fé é a seiva do mundo espiritual. Saber lidar com o dinheiro é uma habilidade que os triunfadores devem desenvolver com profundidade.

Atílio Fontana foi um empresário de sucesso. A partir de um frigorífico falido constituiu uma das mais bem-sucedidas empresas brasileiras, a Sadia. Para isso, precisou de muito talento, perseverança e trabalho. Um dos talentos de Fontana era lidar com dinheiro, aplicando com muita sabedoria cada centavo amealhado. Ele sabia fazer o dinheiro render. Filho de colonos italianos, tinha apenas o ensino primário, mas dispunha de muita audácia e um acurado tino financeiro. Era piada corrente entre seus amigos que Fontana conseguiria nadar com um punhado de açúcar na mão sem deixar derreter, de tão mão fechada que era. Ele sempre repetia que, se não economizasse, não teria dinheiro para investir quando aparecessem as oportunidades.

Fontana era muito jovem quando perdeu o pai e o irmão mais velho. Iniciou a atividade profissional como comerciante nos anos 1920, fornecendo alfafa para uma família paulistana. Com o lucro abriu um hotel em Joaçaba, Santa Catarina. Como tinha uma personalidade agradável, aproveitou o hotel para fazer bons contatos e dali expandiu seus negócios, transformando-se em comerciante influente na região, ao mesmo tempo que começou a participar da vida política. No início da década de 1940, assumiu a direção de um frigorífico à beira da falência, em Concórdia, Santa Catarina, a pedido do prefeito da cidade.

Em 1944, nascia a Sadia, transformada pelo tino de Fontana em uma potência econômica, com faturamento acima de US$ 2 bilhões em 2006 e cerca de 25 mil funcionários. Em 2009, com a fusão com a Perdigão, foi criada uma das maiores empresas de alimentos do mundo, a BRF (Brasil Foods). Na política, Fontana foi prefeito de Concórdia em 1950 e chegou a vice-governador de Santa Catarina em 1970.

Napoleon Hill descobriu que é impossível ser bem-sucedido nos negócios sem saber lidar com o dinheiro. Tudo se resume ao seguinte: ou você controla o dinheiro ou o dinheiro controlará você. Para controlar o dinheiro, você tem de administrá-lo. E administrar o dinheiro inclui o hábito de poupar.

O hábito, uma vez incorporado à mente, é facilmente transformado em ação. Quando falamos no hábito de economizar, não queremos que você se torne sovina. Longe disso. O conceito aqui refere-se à capacidade de armazenar recursos para transformá-los em riqueza.

Foi assim que Atílio Fontana conseguiu subir na vida de maneira estupenda. Aproveitou cada centavo dos lucros obtidos, aplicando em novos negócios e criando condições para estar sempre pronto para as oportunidades. Tirava de um lado e em seguida aplicava em outro. Não é preciso ser mesquinho ou avarento, é preciso ser organizado. Sua vida é do tamanho da sua organização.

"Você deve cultivar o hábito de poupar a fim de se colocar na rota de grandes oportunidades e desenvolver sua capacidade de visão, autoconfiança, imaginação, entusiasmo, iniciativa e liderança", afirmou Hill, advertindo sobre o perigo de ignorar a importância de gerir o orçamento e ter fundos de reserva:

> Muitos homens percorreram um longo caminho na direção do sucesso apenas para tropeçar e cair – e nunca mais se erguer – por conta da falta de dinheiro em tempos de emergência. A taxa de mortalidade de negócios devido à falta de capital de reserva para emergências é estupenda. (...) Fundos de reserva são essenciais para a operação bem-sucedida de negócios, assim como contas de poupança são igualmente essenciais para o sucesso dos indivíduos. Sem poupança, a pessoa sofre de duas maneiras: primeiro, pela incapacidade de aproveitar oportunidades que aparecem apenas para gente com dinheiro na mão e, segundo, pelo constrangimento devido a alguma emergência que exija dinheiro.

Ter sorte nos negócios significa estar preparado para as oportunidades (e também para os imprevistos), e estar preparado significa dispor de capital financeiro no momento em que haja necessidade. Se você não estiver preparado, não adianta as oportunidades surgirem. Se você não estiver preparado, os imprevistos podem se tornar catastróficos.

Com certeza, você conhece histórias de indivíduos que tiveram rios de dinheiro e perderam tudo – ganhadores de prêmios milionários na loteria, atletas, artistas, empresários. Às vezes, pode ser má sorte, como uma recessão econômica violenta ou um sócio desonesto. Em outras, pode ser falta de planejamento e/ou de preparo para gerir a riqueza. Seja qual for o motivo para um grande revés financeiro, tem gente que jamais se recupera – e tem aqueles que dão uma notável volta por cima.

Donald Trump tinha bilhões de dólares e perdeu tudo nos anos 1990, chegando a declarar falência três vezes. Recuperou o que perdeu, aumentou o patrimônio e foi eleito presidente dos Estados Unidos. Como se explica esse fenômeno? Pessoas como Trump podem perder todo o dinheiro, mas jamais perdem o ingrediente mais importante de seu sucesso: a mente milionária. No caso de Trump, a mente bilionária. Você já percebeu que Trump nunca poderia ser apenas milionário? Como você acha que ele se sentiria com um patrimônio de US$ 1 milhão? Provavelmente arruinado, um completo fracasso.

Isso acontece porque o termostato financeiro de Trump está regulado para produzir bilhões, não milhões. Alguns têm o termostato financeiro programado para gerar milhares, não milhões. Em outros, o termostato está ajustado para gerar algumas centenas. Finalmente, existem aqueles cujo termostato está regulado para abaixo de zero; esses estão congelados e nem sabem o porquê.

O hábito de administrar o dinheiro é mais importante do que a quantidade de dinheiro que você tem. Então, como você deve administrar seu dinheiro?

Primeiro, abra uma conta bancária chamada liberdade financeira. Deposite 10% de cada centavo que receber, descontados os impostos. Esse dinheiro só deve ser usado para investir e comprar ou criar fluxos de rendimentos passivos. Quando você vai gastar esse dinheiro? Nunca! Ele jamais será gasto – trata-se de investimento apenas. Quando se aposentar, você usará os rendimentos dessa conta, mas não o principal. Assim, essa reserva estará sempre crescendo e você nunca ficará na mão.

A conta da liberdade financeira produz dois dividendos:

- O primeiro é segurança, que traz consigo a tranquilidade. Se alguém tem dinheiro guardado e perde o emprego, naturalmente sente-se mais tranquilo para procurar uma nova colocação, o que aumenta as chances de encontrar uma posição adequada.
- O segundo é a possibilidade de investimento. Boas oportunidades surgem o tempo todo, é preciso estar preparado. Como diz o ditado, dinheiro chama dinheiro.

Depois de abrir a conta da liberdade financeira, institua em sua casa o pote da liberdade financeira e guarde nele alguma quantia todos os dias. Pode ser uma moeda, um centavo que seja, ou todo o seu dinheiro trocado. O valor não importa, o hábito sim. A ideia é dar atenção diária ao objetivo de se tornar financeiramente livre. Faça esse pote se tornar seu ímã para dinheiro, faça com que traga mais e mais riqueza e oportunidades de liberdade financeira para sua vida.

Temos certeza de que não é a primeira vez que você ouve o conselho de poupar 10% dos seus rendimentos, mas talvez seja a primeira vez que alguém lhe diz para ter outra conta – a conta da diversão – especificamente para poder gastar e curtir.

O hábito de administrar o dinheiro é mais importante do que a quantidade de dinheiro que você tem.

Um dos maiores segredos da administração do dinheiro é o equilíbrio. Por um lado, você deve poupar o máximo para ter condições de investir e ganhar mais dinheiro. Por outro, convém depositar um percentual de seus rendimentos na conta da diversão. Por quê? Porque temos uma natureza holística. Sempre que afetamos uma parte de nossa vida, as outras também são afetadas. Algumas pessoas economizam ao extremo. Com isso, a parte lógica e responsável fica satisfeita, mas a parte lúdica não, o que pode gerar infelicidade e autossabotagem.

Se você apenas gasta, não só jamais enriquecerá, como a parte responsável do seu ser também acabará fazendo com que você não curta as coisas com as quais despende dinheiro por causa da culpa. Culpado, você se sente infeliz, aí gasta ainda mais para se sentir melhor, e a gastança gera mais culpa. Você precisa romper esse círculo vicioso aprendendo a administrar suas finanças de um modo que dê certo. A conta da diversão ajuda na gestão financeira, permitindo-lhe gastar sem culpa.

A regra da conta da diversão existe para ser zerada. Você deve investir todo o dinheiro da diversão em algo que o faça sentir-se rico. Vá a um bom restaurante e peça uma garrafa do melhor vinho. Alugue um carro caro para passear no fim de semana. Reserve acomodações em um hotel de luxo. Essa conta é para extravagâncias.

Para a maioria de nós, a única forma de respeitar o plano de poupança é contrabalançar com um prêmio pelo nosso esforço. Outras finalidades da conta da diversão são fortalecer o "músculo recebedor" e tornar mais divertida a administração do dinheiro. Além da conta da liberdade financeira e da conta da diversão, é importante criar outras quatro contas para dividir o seu dinheiro:

- conta das despesas de longo prazo;
- conta da educação continuada;
- conta das necessidades básicas;
- conta das doações.

Um participante de um dos treinamentos que ministramos, Alfredo Shiwiski, contou que a primeira vez em que ouviu falar de administração de dinheiro pensou: "Caramba, isso é muito chato". Mais adiante, percebeu que, se quisesse ser financeiramente livre, teria de saber administrar o próprio dinheiro. Como isso não era algo natural para ele, precisou cultivar o hábito. Disse ter se lembrado de quando começou a treinar na academia. De início, não gostava nada e ficava todo dolorido; alguns meses depois, passou não só a gostar da atividade, como também a aguardar pela hora do treino. Com a administração do dinheiro foi igual: começou detestando, acabou gostando. Agora, aguarda a chegada do pagamento para depositá-lo nas contas. E curte monitorar a conta da liberdade financeira, que foi de zero a muitos milhares e continua crescendo.

Preparado para começar a consolidar sua liberdade financeira?

Capítulo 5

Iniciativa, liderança e sustentação

Todas as pessoas trazem dentro de si a semente da liderança, os ingredientes necessários para indicar o caminho. Despertá-los é tarefa individual. A liderança nunca é encontrada em quem não adquiriu o hábito de tomar a iniciativa. Portanto, a semente da liderança é a iniciativa.

COMO SE CONSOLIDA UMA IDEIA?

A Declaração de Independência, a adoção à Constituição e a carta dos *landmarks* dos Estados Unidos foram a mais revolucionária demonstração de liderança na história americana e, talvez, na história humana. Coletivamente, esses documentos estabeleceram o espírito e a proteção de uma forma de governo que mudava a natureza governamental do mundo, pois não era mais fundada no direito dos reis, mas no direito das pessoas comuns. A democracia havia sido tentada por sociedades em várias épocas da história humana, mas todas haviam falhado. Por isso, a frase de Benjamin Franklin quando abordado na saída de uma reunião histórica tornou-se épica:

"O que vocês conseguiram?", perguntou um jornalista.

"Conseguimos a República. Se vamos sustentá-la depende de nós", respondeu Franklin.

E, assim, na América do Norte do século 18, nasceu o governo democrático mais bem-sucedido da história, até agora.

QUAL A RAZÃO PRINCIPAL DESSE TRIUNFO?

Com certeza, não foi por causa da unanimidade política de aproximadamente quatro milhões de colonizadores vivendo na América do Norte. A unanimidade existia entre os Pais Fundadores, mas uma minoria significativa, possivelmente um terço dessa população, se opôs ao estabelecimento de uma nova nação. Não foi por causa da força do exército norte-americano ou de sua marinha, visto que eles eram inferiores em número de pessoas, equipamentos e armamentos quando comparados aos seus inimigos. Não foi por causa da riqueza ou da independência financeira das treze colônias, pois suas economias eram bem frágeis e dependentes das trocas com a Grã-Bretanha.

O ingrediente chave para o estabelecimento bem-sucedido de uma nova nação foi a liderança. Especificamente a liderança de alguns poucos homens, conhecidos como os Pais Fundadores. Eles inspiraram o suporte, o apoio e o sacrifício de milhões de norte-americanos pela causa de estabelecer uma forma de governo republicana e independente. Esse desejo pela independência em relação à Grã-Bretanha começou a se enraizar na população das colônias em 1763, pouco depois do final da guerra entre a França e a Índia.

Para ajudar a pagar o exército que possuía na América, o rei britânico, George III, começou a taxar mais agressivamente os colonos. Ativistas políticos norte-americanos que começaram a autodenominar-se "Os Patriotas" protestaram, afirmando que a taxação era injusta, pois as colônias não tinham representação oficial no parlamento britânico. Esses protestos iam de meras denúncias verbais em jornais até ações violentas.

Jamil Albuquerque, Márcio Abbud e Walter Kaltenbach

Mas o que exatamente significa a Revolução e a Guerra Americana? A revolução foi efetivada antes de a guerra começar e estava nas mentes e nos corações das pessoas. Era uma mudança nos seus sentimentos religiosos, de deveres e obrigações. Essa radical modificação nos princípios, sentimentos e afeições do povo foi a verdadeira revolução americana.

Existe uma ampla variedade de teorias de liderança que poderia ser usada para analisar os Pais da Pátria, como a Teoria do Grande Homem, a Teoria dos Traços, a Teoria Comportamental, a Teoria Transnacional e a Teoria Transformacional. Apesar de praticarem, individualmente, muitas técnicas de liderança, como grupo, eles são amplamente reconhecidos hoje como líderes transformacionais. O foco será prioritariamente nessa teoria. Os líderes transformacionais são únicos no que tange a motivar seus seguidores a realizar sacrifícios pessoais e ir além dos seus próprios interesses em prol do grupo.

De acordo com James MacGregor Burs, um dos primeiros contribuidores da teoria, a liderança transformacional é um processo pelo qual os líderes e seus seguidores elevam uns aos outros a níveis maiores de moralidade e motivação. Apesar de existirem muitas variações da Teoria da Liderança Transformacional, a maioria dos teóricos aceita a opinião de Bernard M. Boss sobre o que um líder que triunfa faz.

Um líder transformacional geralmente inspira os seus seguidores a sentir confiança, lealdade e respeito por ele. Seguidores são motivados a fazer mais do que foi originalmente designado. Continuam e perseveram em sacrificar os seus confortos pessoais em prol da meta em comum, a despeito de suas dificuldades pessoais. Os norte-americanos encararam enormes dificuldades e sofrimentos durante a guerra revolucionária. Fossem eles os soldados que estavam congelando e morrendo de fome ou as incontáveis jovens mães tentando cuidar de suas famílias enquanto os seus maridos estavam longe. Ou os milhares de fazendeiros que perderam tudo na passagem de exércitos vorazes, ou a miríade de pequenos empreendedores que tornaram-se financeiramente indigentes por causa da hiperinflação e o dinheiro desvalorizado... todos eles, de alguma forma, contribuíram para a vitória sobre o exército do rei inglês.

Eles não apenas venceram a guerra da independência americana, mas também estabeleceram para eles e para as futuras gerações o primeiro e bem-sucedido governo democrático no mundo. O líder moderno talvez não tenha mais que enfrentar tarefas tão monumentais como enfrentaram os Pais da Pátria. Porém, os princípios que os fundadores seguiram ainda são essencialmente úteis para vencer vários desafios da liderança moderna, como o estabelecimento de uma nova empresa, a recuperação de um negócio que está falindo ou a motivação de forças de trabalhadores desmotivados.

Napoleon Hill listou algumas características dos líderes transformadores:

1. Preparam-se a si mesmos;
2. São exemplo de integridade moral;
3. Vão além do interesse próprio;
4. Estabelecem metas claras;
5. Respeitam sua equipe;
6. Transmitem uma visão inspiradora.

O GRANDE DESCOBRIDOR

Pedro Álvares Cabral sem dúvida era um homem de tremenda autoconfiança. O nobre português nunca havia navegado por mares desconhecidos antes de assumir o comando militar da maior frota dos descobrimentos até então. Mesmo assim, zarpou intrépido de Portugal como comandante supremo de treze embarcações e 1.500 homens. Seu objetivo: chegar às Índias, uma jornada perigosa por mares pouco conhecidos. No trajeto, Cabral tinha de cumprir uma incumbência extra determinada por Vasco da Gama, o maior navegador da história portuguesa: abrir o curso de sua frota a oeste. Assessorado por navegadores altamente qualificados, Cabral executou o plano à risca. Encontrou o Brasil e chegou às Índias. Gravou seu nome com total sucesso na galeria dos grandes navegadores e descobridores europeus. Também chamado de o português mais brasileiro que já existiu.

PESOS E MEDIDAS

O estudo da liderança é polêmico, apaixonante e paradoxal. Polêmico porque dificilmente se consegue analisar o assunto sem deixar de manifestar, ainda que implicitamente, os valores, crenças, preferências e motivações pessoais. Apaixonante porque o desafio nos estudos sobre liderança não está apenas em encontrar novos conhecimentos, mas em analisar coisas conhecidas com um novo olhar. Paradoxal porque não existe uma resposta certa para todas as situações. Liderar em muitas ocasiões exige dez pesos e dez medidas. Decisões com base em princípios éticos e decisões com base em resultados podem ser completamente diferentes.

Jesus, Gandhi, Hitler, comandante Rolim, Bernardinho, George W. Bush, Osama Bin Laden, Papa João Paulo II, Felipão, ACM (Antônio Carlos Peixoto de Magalhães) e Vanderlei Luxemburgo são alguns exemplos que comprovam a natureza múltipla e paradoxal da liderança. Que todos conseguiram ou conseguem influenciar muita gente não se discute. Também é indiscutível a marcante diferença de estilos e objetivos.

Hill fez uma primorosa diferenciação básica entre líderes, estilos de liderança e motivações para liderar:

Existem dois tipos de liderança, o que um deles tem de mortal e destrutivo o outro tem de útil e construtivo. O tipo mortal, que leva não ao sucesso, mas ao fracasso absoluto, é adotado por pseudolíderes que forçam sua liderança sobre seguidores relutantes. A liderança destrutiva baseia-se em autoengrandecimento, é construída sobre a ambição pessoal. O tipo de liderança recomendado neste curso é o que leva a autodeterminação, liberdade, autodesenvolvimento, esclarecimento e justiça.

> **Liderar é influenciar pessoas. Liderança requer habilidade para comunicar objetivos e torná-los aceitos pelos liderados.**
>
> – Napoleon Hill

Um aspecto importante da responsabilidade do líder é induzir as pessoas a subordinarem suas ideias e interesses ao bem do todo, e isso se aplica a assuntos de natureza cívica, empresarial, social, política, financeira e industrial. Sucesso é quase sempre uma questão de habilidade em conseguir que os outros subordinem sua individualidade e sigam um líder. O líder habilidoso tem personalidade e imaginação para induzir seus seguidores a aceitar seus planos e executá-los fielmente.

Fazer com que os liderados façam o que é preciso não é necessariamente uma liderança eficaz. O verdadeiro líder faz com que os liderados queiram fazer o que é preciso. Em outras palavras, liderança implica persuadir e motivar os liderados.

A história da humanidade registra inúmeros casos de liderança exercida mediante coação; o detentor do poder simplesmente impõe sua vontade àqueles sob seu jugo. É o que Napoleon Hill denominou pseudoliderança. A verdadeira liderança é aquela que conquista adeptos para a sua forma de pensar, que aglutina os liderados em torno de uma ideia. Infelizmente, a história também registra casos de líderes destrutivos que unem as massas em torno de ideias nefastas, levando a todo tipo de conflito, a guerras e massacres. Vamos repetir: o espírito de liderança proposto por Hill preza pela autodeterminação, liberdade, autodesenvolvimento, esclarecimento e justiça.

Sendo liderança uma ação que se exerce sobre indivíduos e grupos, é evidente que o líder deve ser especialista em pessoas. Quanto maior essa habilidade, mais profundo o impacto e a impressão do líder sobre os liderados. Para o bem e para o mal. Conhecimento e prática das melhores ações objetivando relacionamentos produtivos, não repetitivos, são competências a serem desenvolvidas. Aprender, entender e refletir sobre o comportamento humano deve ser do interesse permanente daqueles que exercem liderança. O líder é um artesão das relações humanas. É um distribuidor de esperança, um ícone.

É grande o número de pseudolíderes que preterem os princípios elementares que orientam e motivam o comportamento. Aprendem a manipular e ignoram como criar ambientes motivadores. Como especialistas em pessoas, acreditamos que as duas principais competências requeridas para o verdadeiro líder sejam aprender a sentir e aprender a conviver.

A liderança atual é conectiva, deve liderar a multiplicidade e a interdependência. A liderança é como uma mão de auxílio para muitos. Um líder desenvolve seus negócios, desloca bens, interesses, proporciona trabalho às pessoas, estimula e revitaliza a sociedade, impulsiona o progresso. Contudo, deve estar preparado para enfrentar perigos inerentes à posição: soberba, vícios, autoritarismo, solidão, ansiedade e vaidade.

TRATADO SOBRE LIDERANÇA

Em *O manuscrito original*, Napoleon Hill reproduziu o discurso proferido pelo major Christian Albert Bach na formatura de cadetes em Fort Sheridan, Wyoming, em 1917. É um tratado contendo princípios "aplicáveis à liderança empresarial, industrial e financeira, assim como na condução bem-sucedida da guerra". O major Bach disse o seguinte aos cadetes:

> Em pouco tempo, cada um de vocês irá controlar as vidas de um determinado número de homens. Terão sob seu comando cidadãos leais, mas destreinados, que buscarão instrução e orientação em vocês. As palavras de vocês serão lei para eles. A observação mais casual será lembrada. Seus maneirismos serão copiados. Suas roupas, comportamento, vocabulário, estilo de comandar serão imitados.
>
> Quando se juntarem a suas unidades, encontrarão um grupo de homens dispostos, que não pedirão a vocês nada mais do que as qualidades que vão garantir o respeito, a lealdade e a obediência deles. Eles estarão totalmente prontos e ávidos para seguir vocês, desde que possam convencê-los de que possuem tais qualidades. Caso chegue o dia em que fiquem convencidos de que vocês não as possuem, podem dizer adeus. A utilidade de vocês naquele grupo terá acabado.

Do ponto de vista da sociedade, o mundo pode ser dividido em líderes e seguidores. Os profissionais liberais têm líderes, o mundo financeiro tem líderes. Em todas essas lideranças é difícil, se não impossível, separar do elemento de pura liderança o elemento egoísta de ganho pessoal ou vantagem individual, sem o qual qualquer liderança perderia o valor.

Apenas no serviço militar, onde os homens sacrificam suas vidas voluntariamente por uma fé e estão dispostos a sofrer ou morrer pelo certo ou para impedir o errado, podemos esperar a realização da liderança em seu sentindo mais exaltado e desinteressado. Portanto, quando digo liderança, me refiro a liderança militar.

Em poucos dias, a grande maioria de vocês receberá a patente de oficial. A patente não fará de vocês líderes, simplesmente fará de vocês oficiais. Colocará vocês em uma posição em que podem se tornar líderes se possuírem os atributos necessários. Mas vocês devem ter êxito, nem tanto com os homens acima de vocês e sim com os homens abaixo.

Os homens devem seguir e seguem oficiais que não são líderes rumo à batalha, mas sua força motriz não é o entusiasmo e sim a disciplina. Vão com dúvida e hesitação, o que suscita a pergunta implícita: "O que ele fará em seguida?". Tais homens obedecem a ordens ao pé da letra, mas não mais que isso. Nada sabem sobre devoção ao comandante, entusiasmo exacerbado que despreza o risco pessoal, autossacrifício para assegurar a segurança pessoal do líder. As pernas os carregam adiante porque o cérebro e o treinamento dizem que eles devem ir. O espírito não vai junto.

AS 17 LEIS DO TRIUNFO

Grandes resultados não são alcançados por soldados frios, passivos e indiferentes. Eles não vão muito longe e param assim que podem. Líderes não somente exigem, mas recebem de outros homens boa vontade, firmeza, obediência e lealdade inabaláveis e uma devoção que, chegada a hora, fará com que sigam seus reis não coroados ao inferno e lá retornem de novo, se necessário.

Vocês vão se perguntar: "Em que então consiste exatamente a liderança? O que devo fazer para me tornar um líder? Quais são os atributos da liderança e como posso cultivá-los?".

A liderança é composta de uma série de qualidades. Entre as mais importantes, gostaria de listar autoconfiança, ascendência moral, autossacrifício, paternalismo, justiça, iniciativa, decisão, dignidade e coragem.

Autoconfiança resulta, primeiro, de conhecimento preciso; segundo, da habilidade de transmitir esse conhecimento; e terceiro, do sentimento de superioridade sobre os outros, que decorre naturalmente. Tudo isso proporciona atitude ao oficial. Para liderar, você deve ter conhecimento. Você pode iludir todos os seus homens por um tempo, mas não pode fazer isso o tempo todo. Os homens não terão confiança em um oficial a menos que ele entenda do assunto, e ele deve entender desde a base.

O oficial deve entender mais de papelada administrativa do que seu primeiro-sargento e funcionários somados, deve saber mais sobre a comida do que seu sargento encarregado da cozinha, mais sobre doenças de cavalos do que o cavalariço da tropa. Deve ser pelo menos tão bom no tiro quanto qualquer homem de sua companhia.

Se o oficial não sabe e demonstra que não sabe, é inteiramente humano o soldado dizer para si mesmo: "Para o inferno com ele. Não entende disso tanto quanto eu", e calmamente desconsiderar as instruções recebidas. Não existe substituto para o conhecimento preciso. Sejam tão bem informados que os homens lhes procurem para fazer perguntas, que seus colegas oficiais digam uns para os outros: "Pergunte ao Smith – ele sabe".

E cada oficial não só deve conhecer totalmente as tarefas de sua patente, como deve estudar as das duas patentes acima. Disso decorre um duplo benefício: ele se prepara para tarefas que podem ser-lhe atribuídas a qualquer momento durante a batalha; além disso, adquire um ponto de vista mais amplo, que lhe permite avaliar a necessidade de emitir ordens e participar em sua execução de maneira mais inteligente.

O oficial não apenas deve saber, como deve ser capaz de expressar o que sabe em uma fala gramaticalmente correta, interessante e convincente. Deve aprender a defender sua posição e falar com desembaraço.

Disseram-me que nos campos de treinamento britânicos é exigido que os alunos oficiais façam palestras de dez minutos sobre qualquer assunto que escolham. É uma excelente prática. Para falar com clareza, deve-se pensar com clareza, e o pensamento claro e lógico se expressa em ordens positivas e definidas.

Enquanto a autoconfiança é resultado de vocês saberem mais do que seus homens, a ascendência moral sobre eles baseia-se na crença de vocês de que são o melhor homem. Para ganhar e manter essa ascendência, vocês devem ter autocontrole, vitalidade e resistência física e força moral. Vocês devem ter tamanho autocontrole que, mesmo hirtos de medo em batalha, jamais demonstrem medo. Pois se, por algo como um movimento brusco ou tremor nas mãos, uma mudança de expressão ou uma ordem revogada às pressas vocês indicarem sua condição mental, esta se refletirá em seus homens em escala muito maior.

Em uma base ou acampamento, surgirão muitas circunstâncias para testar seu temperamento e arruinar seu ânimo gentil. Se nessas horas vocês perdem as estribeiras, não têm condições de comandar homens. Pois homens com raiva dizem e fazem coisas das quais quase que invariavelmente se arrependem depois. Um oficial jamais deve se desculpar com seus homens; um oficial também jamais deve ser culpado de um ato pelo qual seu senso de justiça diga que ele deve se desculpar.

Outro elemento para a conquista de ascendência moral reside em possuir vitalidade e resistência física suficientes para suportar as dificuldades a que vocês e seus homens estão sujeitos e um espírito destemido que lhes permitam não só aceitá-las com alegria, mas minimizar sua magnitude. Menosprezem seus problemas, desmereçam suas provações e vocês prestarão um auxílio vital para construir dentro de suas unidades um espírito cujo valor em tempos de estresse não pode ser medido.

Força moral é o terceiro elemento para se adquirir ascendência moral. Para exercer força moral vocês devem ter uma vida limpa, poder mental suficiente para ver o certo e vontade de fazer o certo.

Sejam um exemplo para seus homens. Um oficial pode ser um poder para o bem ou para o mal. Não façam pregações – isso será mais do que inútil. Vivam o tipo de vida que gostariam que seus homens levassem e ficarão surpresos ao ver a quantidade que irá imitá-los.

Um capitão de fala ruidosa, mundano, descuidado com a aparência pessoal, terá uma companhia ruidosa, mundana e suja. Lembrem-se do que eu digo. Suas companhias serão o reflexo de vocês. Se tiverem uma companhia corrupta, é porque vocês são capitães corruptos.

Autossacrifício é essencial para a liderança. Vocês se doarão o tempo todo. Vocês se doarão fisicamente, pois as horas mais longas, os trabalhos mais pesados e as maiores responsabilidades são do capitão. Ele é o primeiro a levantar pela manhã e o último a se recolher à noite. Ele trabalha enquanto os outros dormem.

Vocês se doarão mentalmente, em solidariedade e apreço aos problemas dos homens sob seu comando. A mãe de um faleceu, e o outro perdeu todas as economias na falência de um banco. Eles podem desejar ajuda, mas, mais do que qualquer outra coisa, desejarão solidariedade. Não cometam o erro de rechaçar um desses homens dizendo "vocês têm seus próprios problemas", pois, a cada vez que fizerem isso, vocês arrancarão uma pedra da fundação das suas casas.

Seus homens são a fundação, e a casa da liderança de vocês virá abaixo a menos que permaneça assentada em segurança sobre eles. Por fim, vocês doarão seus magros recursos financeiros. Com frequência gastarão seu próprio dinheiro para conservar a saúde e o bem-estar de seus homens ou ajudá-los em seus problemas. Geralmente vocês recuperam o dinheiro. Muito frequentemente vocês têm prejuízo. Mesmo assim, o custo é válido.

Quando digo que o paternalismo é essencial à liderança, uso o termo no melhor sentido. Não me refiro ao paternalismo que priva os homens de iniciativa, autoconfiança e respeito próprio. Refiro-me ao paternalismo que se manifesta em cuidadosa vigilância pelo conforto e bem-estar dos que estão sob seu comando.

Soldados são como crianças. Vocês têm que se empenhar ao máximo para providenciar o melhor em termos de abrigo, alimento e roupas para eles. Vocês têm que providenciar comida para eles antes de pensar na sua própria; uma boa cama para cada um deles antes de pensar em onde vocês vão dormir. Devem ser muito mais preocupados com o conforto deles do que com o seu próprio. Vocês devem cuidar da saúde deles. Devem conservar a força deles, não exigindo esforço desnecessário ou trabalho inútil.

E, fazendo tudo isso, vocês estarão instilando vida no que do contrário seria uma mera máquina. Estarão criando uma alma em sua unidade, que fará com que o grupo responda a vocês como se fosse um homem. E isso é o espírito.

Quando a unidade tiver esse espírito, vocês acordarão certa manhã e descobrirão que o jogo virou: em vez de estarem constantemente cuidando de seus soldados, eles terão assumido a tarefa de cuidar de vocês, sem que vocês tenham feito qualquer insinuação. Vão ver que um destacamento estará sempre lá para verificar se a sua tenda, caso vocês tenham uma, é prontamente montada; para que a melhor e mais limpa roupa de cama seja trazida para sua tenda; vão ver que, vindos de alguma fonte misteriosa, dois ovos foram adicionados a sua ceia quando ninguém mais recebeu nenhum; que um homem extra ajuda seus homens a dar uma superescovada no seu cavalo; que seus desejos são antecipados; que todo homem é um faz-tudo. E então vocês terão chegado lá!

Vocês não podem tratar todos os homens do mesmo jeito. Uma punição que seria menosprezada por um homem com um sacudir de ombros é uma angústia mental para outro. Um comandante de companhia que, para uma determinada infração, tem uma punição padrão que aplica a todos é por demais indolente ou por demais estúpido para estudar a personalidade dos seus homens. No caso dele, a justiça com certeza é cega.

Estudem seus homens com tanto cuidado quanto um cirurgião estuda um caso difícil. E, quando tiverem certeza do diagnóstico, apliquem o remédio. Lembrem-se de que vocês aplicam o remédio para efetuar uma cura, não para ver a vítima contorcer-se. Pode ser necessário cortar fundo, mas, quando estiverem satisfeitos com o diagnóstico, não se desviem do objetivo por alguma falsa simpatia pelo paciente.

A justiça para aplicar a punição caminha de mãos dadas com a justiça para se dar o devido crédito. Todo mundo odeia gente aproveitadora. Quando um de seus homens tiver realizado um trabalho especialmente digno de crédito, certifiquem-se de que ele receba a recompensa apropriada. Movam céus e terra para concedê-la. Não tentem tirá-la dele e pegar para vocês. Vocês podem fazer isso e se safar, mas perderão o respeito e a lealdade de seus homens.

Cedo ou tarde, seus colegas oficiais vão ouvir falar disso e fugirão de você como de um leproso. Na guerra existe glória suficiente para todos. Deem a seus homens o que lhes é devido. O homem que sempre tira e nunca dá não é um líder. É um parasita.

Existe outro tipo de justiça – que evitará que um oficial abuse dos privilégios de sua patente. Ao exigir respeito dos soldados, certifiquem-se de tratá-los com igual respeito. Fortaleçam a virilidade e o autorrespeito deles. Não tentem rebaixá-los.

Para um oficial, ser arrogante e insultuoso no tratamento de seus subordinados é um ato de covardia. Ele amarra o homem a uma árvore com as cordas da disciplina e então bate-lhe no rosto sabendo muito bem que o homem não pode contra-atacar.

Consideração, cortesia e respeito dos oficiais para com os subordinados não são incompatíveis com disciplina. Fazem parte da disciplina. Sem iniciativa e decisão nenhum homem pode esperar ser líder.

Nas manobras, quando surgir uma emergência, vocês com frequência verão certos homens calmamente dar ordens instantâneas que, em análise posterior, provam-se, se não exatamente a coisa certa, muito próximas da coisa certa. Vocês verão outros homens ficar terrivelmente abalados em situações de emergência; o cérebro deles se recusa a funcionar, ou dão uma ordem precipitada e a revogam, dão outra e revogam; em resumo, mostram todos os sinais de acovardamento.

Em relação ao primeiro homem vocês podem dizer: "Aquele homem é um gênio. Não teve tempo de raciocinar aquilo. Ele agiu intuitivamente". Esqueçam! Gênio é apenas a capacidade de se esforçar infinitamente. O homem que estava pronto é o homem que se preparou. Ele estudou de antemão as possíveis situações que poderiam surgir, fez planos preliminares abordando tais situações. Quando confrontado pela emergência, estava pronto para encará-la. Ele deve ter agilidade mental suficiente para avaliar o problema que o confronta e poder de raciocínio rápido para determinar quais mudanças são necessárias no plano já formulado. Deve ter também determinação para ordenar a execução e para ater-se às suas ordens.

Qualquer ordem razoável em uma emergência é melhor que ordem nenhuma. A situação está ali. Confrontem-na. É melhor fazer algo e fazer a coisa errada do que hesitar, ficar dando voltas atrás da coisa certa e acabar não fazendo nada. E, tendo decidido por uma linha de ação, permaneçam nela. Não vacilem. Homens não confiam em um oficial que não conhece sua própria mente.

Ocasionalmente, vocês serão chamados a enfrentar uma situação que nenhum ser humano poderia antever. Caso tenham se preparado para confrontar outras emergências que puderam antecipar, o treinamento mental permitirá agir prontamente e com calma.

Com frequência vocês deverão agir sem as ordens de autoridades superiores. O tempo não permitirá esperar por elas. Aqui, de novo, destaca-se a importância de estudar o trabalho dos oficiais acima de vocês. Se tiverem uma visão abrangente de toda a situação e conseguirem formular uma ideia do plano geral de seus superiores, isso e o treinamento prévio de emergência permitirão determinar que a responsabilidade é de vocês e emitir as ordens necessárias sem demora.

O elemento de dignidade pessoal é importante na liderança militar. Sejam amigos de seus homens, mas não se tornem íntimos.

Seus homens devem admirar vocês – e não ter medo! Se seus homens presumirem ter familiaridade com vocês a culpa é sua, não deles. Suas ações os encorajaram. E, acima de tudo, não se rebaixem solicitando amizade ou bajulando para obter favores. Eles irão desprezá-los por isso. Se vocês forem dignos de lealdade, respeito e devoção, eles com certeza lhes darão tudo isso sem que lhes seja pedido. Se não forem, nada do que possam fazer irá conquistá-los.

É extremamente difícil para um oficial parecer digno usando um uniforme sujo e manchado e com uma barba de três dias por fazer. Um homem assim carece de autorrespeito, e autorrespeito é essencial à dignidade.

Pode haver ocasiões em que o trabalho implica roupas sujas e ter a barba por fazer. Todos os seus homens terão esse aspecto. Em tais casos existe um bom motivo para a aparência de vocês. Na verdade, seria um erro ter um aspecto limpo demais – pensariam que vocês não estavam fazendo sua parte. Mas, tão logo essa ocasião incomum acabe, estabeleçam um exemplo de asseio pessoal.

A seguir, eu mencionaria a coragem. Vocês necessitam de coragem moral tanto quanto de coragem mental – aquele tipo de coragem moral que permite aderir sem vacilar a um determinado curso de ação que seu julgamento indicou ser o melhor para assegurar os resultados desejados.

Vocês vão verificar muitas vezes, especialmente em ação, que, após terem dado ordens para determinada coisa, serão atormentados por apreensão e dúvidas; verão, ou pensarão ver, outros e melhores meios de realizar o objetivo. Ficarão fortemente tentados a mudar as ordens. Não façam isso até ficar totalmente evidente que as primeiras ordens estavam radicalmente erradas. Pois, se o fizerem, ficarão de novo preocupados e com dúvidas sobre a eficácia das novas ordens.

Toda vez que mudam suas ordens sem motivo óbvio, vocês enfraquecem sua autoridade e debilitam a confiança dos seus homens. Tenham coragem moral para sustentar sua ordem e fazê-la ser cumprida.

Coragem moral exige que vocês assumam a responsabilidade pelas próprias ações. Se seus subordinados seguem lealmente suas ordens e o movimento que vocês dirigem é um fracasso, o fracasso é de vocês, não deles. A honra teria sido de vocês em caso de sucesso. Assumam a culpa se resultar em desastre. Não tentem transferi-la para um subordinado e fazer dele o bode expiatório. Tal ato é uma covardia. Além disso, vocês precisarão de coragem moral para determinar o destino daqueles abaixo de vocês. Com frequência, serão consultados sobre recomendações para promoção e rebaixamento de oficiais sob seu comando imediato.

Tenham claro em mente sua integridade pessoal e o dever para com o seu país. Não se deixem desviar de um senso rigoroso de justiça por sentimentos de amizade pessoal. Se o seu próprio irmão é seu subtenente, e vocês o consideram inapto para o posto, eliminem-no. Se não o fizerem, sua falta de coragem moral pode resultar na perda de vidas valiosas.

Se, por outro lado, são consultados sobre uma recomendação para um homem que detestam por razões pessoais, não deixem de lhe fazer justiça completa. Lembrem-se que o objetivo de vocês é o bem geral, não a satisfação de um rancor individual.

Tenho como certeza que vocês possuem coragem física. Não preciso dizer o quanto ela é necessária. Coragem é mais que bravura. Bravura é destemor – ausência de medo. Um completo estúpido pode ser bravo, pois lhe falta mentalidade para avaliar o perigo; ele não sabe o suficiente para ter medo.

Coragem, entretanto, é a firmeza de espírito, a força moral que, embora avalie plenamente o perigo envolvido, segue em frente na tarefa. A bravura é física; a coragem é mental e moral. Vocês podem estar gelados, as mãos podem tremer, as pernas podem oscilar, com os joelhos prontos para ceder – isto é medo. Se, no entanto, vocês vão em frente; se, a despeito da desistência física, continuam a liderar seus homens contra o inimigo, vocês têm coragem. As manifestações físicas do medo passarão. Vocês só podem experimentá-las uma vez. São a tremedeira do caçador que tenta atirar num cervo pela primeira vez. Vocês não devem ceder.

Alguns anos atrás, quando fiz um curso de demolição, minha turma lidou com dinamite. O instrutor disse o seguinte: "Devo alertá-los a serem cuidadosos com o uso desses explosivos. Um homem sofre apenas um acidente". Devo alertá-los da mesma maneira. Se cederem ao medo que sem dúvida irá assaltá-los na primeira ação, se demonstrarem covardia, se deixarem seus homens irem em frente enquanto buscam um buraco para se esconder, vocês nunca mais terão a oportunidade de liderar esses homens.

Usem de discernimento ao convocar seus homens para exibições de coragem física ou bravura. Não peçam para nenhum homem ir aonde vocês não iriam. Se o seu bom senso diz que o local é perigoso demais para vocês se aventurarem, então é perigoso demais para ele. Vocês sabem que a vida dele é tão valiosa para ele quanto as suas são para vocês.

Ocasionalmente alguns de seus homens podem ficar expostos a perigos que vocês não podem compartilhar. Uma mensagem deve ser levada através da linha de fogo. Vocês pedem voluntários. Se seus homens souberem que vocês estão "certos", nunca faltarão voluntários, pois eles saberão que o coração de vocês está no trabalho, que vocês estão dando seu máximo pelo país, que vocês estariam dispostos a levar a mensagem pessoalmente se pudessem. Seu exemplo e entusiasmo terão inspirado seus homens.

E, finalmente, se vocês aspiram à liderança, insisto em que estudem os homens. Entrem na pele deles e descubram o que tem lá dentro. Alguns homens são muito diferentes do que aparentam na superfície. Descubram como a mente deles funciona.

Muito do sucesso do general Robert E. Lee como líder pode ser atribuído à sua capacidade como psicólogo. Ele conhecia a maioria de seus oponentes dos tempos de West Point, sabia como a mente deles funcionava e acreditava que eles fariam certas coisas sob certas circunstâncias. Em quase todos os casos ele conseguiu antecipar os movimentos e bloquear a execução.

Vocês não têm como conhecer seus oponentes dessa maneira. Mas podem conhecer seus homens. Podem estudar cada um para determinar onde residem sua força e fraqueza, qual homem pode ser confiável até o último suspiro e qual não.

Conheçam seus homens, conheçam sua atividade, conheçam a si mesmos.

Nesse discurso você encontra praticamente tudo de que necessita para ser um bom líder, seja qual for a sua área de atuação. Ele contém ensinamentos que se aplicam a todas as situações da vida.

Preparado para viver uma vida acima da mediocridade?

Capítulo 6

Uso adequado da mente

"A imaginação é a oficina de todas as criações e é mais importante que o conhecimento. A imaginação envolve o mundo conhecido e desconhecido. Mais ouro foi extraído dos pensamentos das pessoas do que todo aquele que foi tirado da terra."

– Napoleon Hill

Existe o futebol que se joga no campo e o que se joga na mente. O que se joga na mente é a raiz, o em campo é o fruto. O fruto só é bom se a raiz for boa. Não existe fruto doce de raiz amarga. Somos o que pensamos e com nossos pensamentos fazemos o nosso mundo.

A condição essencial da imaginação é a mente. A grande capacidade da mente é a capacidade de projeção. Projeção é uma espécie de imaginação com objetivos claros, perfeitos e permanentes. O ser humano avança porque sua mente projeta e, ao projetar, inventa o futuro. Ao criar cenários, o indivíduo prepara-se para eles. Ao imaginar-se no topo, prepara-se para estar lá. As pessoas que não usam a mente que projeta só têm passado, só têm memória.

A projeção pode ser a realização de todos os seus sonhos e aspirações em um tempo determinado por você. A imaginação permite desenvolver a criatividade, fortalece a memória e proporciona maior agilidade mental para situações práticas do dia a dia. Imaginação é uma competência que pode ser desenvolvida.

A qualidade essencial da mente humana não é a memória. Os elefantes têm uma memória prodigiosa. Um macaco recorda e imita. Os papagaios também imitam, escutam e logo repetem. A maioria das pessoas age assim: olha e depois faz o mesmo. Usar somente a memória é como dirigir em uma autoestrada olhando pelo retrovisor.

A grandiosidade da mente não está na repetição e imitação. Está na projeção. Essa qualidade os animais não têm. O homem que projeta seu futuro de forma inteligente pode se tornar grande. Quem usa apenas a memória só vai aonde vão os outros. Quem vai atrás é sempre o segundo.

A mente tem quatro faculdades definidas: memória, razão, imaginação e criatividade. A memória é o passado, a razão é o presente, a imaginação é o futuro e a criatividade é a qualidade atemporal da mente que a faz inteligente. Desenvolver o cérebro é desenvolver a memória e a

> **Você pode fazer se acreditar que pode.**

imaginação. A mente não está só na cabeça, está no corpo todo. Aquilo que você pensa, você fala. Aquilo que você fala gera uma atitude, um jeito de se portar, que faz com que os resultados aconteçam.

Transformar pensamento em ação, concretizar ideias, é o maior trunfo para a realização de seus objetivos. Aí reside toda a sua força, todo o seu poder. Quem não pensa, quem não imagina, não realiza.

A máxima "você pode fazer se acreditar que pode" tem tudo a ver com a força do pensamento. Nossa vida é comandada pelo cérebro e tudo o que somos resulta do uso que fazemos dele. A imaginação é irmã da criatividade. Onde se manifesta a imaginação, a criação está sempre por perto, pronta para aparecer.

Hill definiu a imaginação da seguinte maneira:

> Imaginação é a oficina da mente humana, onde velhas ideias e fatos estabelecidos podem ser remontados em novas combinações e colocados em novos usos. Imaginação é o ato de inteligência construtiva de agrupar elementos do conhecimento ou do pensamento em sistemas novos, originais e racionais; a faculdade construtiva ou criativa, abrangendo poesia, arte, filosofia, ciência e ética.

Hill recomendou o uso da imaginação para a conquista de objetivos:

> Se a imaginação é o espelho de sua alma, você tem todo o direito de parar em frente a esse espelho e se ver como deseja ser. Você tem o direito de ver refletidos nesse espelho mágico a mansão que pretende ter, a fábrica que pretende gerenciar, o banco que pretende presidir, a posição que pretende ocupar na vida. Sua imaginação lhe pertence. Use-a! Quanto mais usá-la, mais eficiente ela será.

O uso da imaginação aciona o sistema ativador reticular que programa seu cérebro para captar e filtrar tudo que possa ajudá-lo a alcançar as suas metas. Essa ferramenta é poderosa, mas só funciona se você fornecer imagens exatas do que quer. O subconsciente criativo não pensa por palavras, mas por imagens. Alimente seu cérebro com imagens adoráveis de uma carreira brilhante, lazer, família, finanças, filantropia e relacionamentos. Imagine uma vida próspera.

SE VOCÊ IMAGINAR, VOCÊ PODE REALIZAR

Visão é a força motriz de uma organização e de uma pessoa. Nada motiva mais o ser humano do que enxergar um horizonte repleto de esperança. Uma pessoa sempre fará um esforço extra para transformar a visão de um futuro radiante em realidade.

Todas as obras do ser humano são criadas duas vezes. Os prédios onde vivemos existiram na consciência do arquiteto antes de se tornarem tangíveis. Antes de se manifestar no mundo real, as coisas acontecem dentro das pessoas. É impossível construir um prédio sem um plano detalhado. Os projetos nascem como entidades ideais, visões de possibilidades. Sem visão não há realidade; por isso, o primeiro passo do aprendizado proativo é estabelecer uma visão pessoal. Como dizia Jack Welch, legendário CEO da General Electric: "Controle o seu destino ou alguém controlará".

Certa vez, ministramos o treinamento em MasterMind na unidade da Votorantim em Luiz Antônio, interior de São Paulo. Um dos executivos, Luis Baraldi, fez uma palestra sobre uma carta que José Ermírio de Moraes, dirigente do Grupo Votorantim, escreveu enquanto estava hospitalizado. A carta serve até hoje de norte para a família no mundo dos negócios e na vida pessoal. O empresário e senador usou a imaginação para indicar aos filhos o caminho mais adequado a seguir. Eis a carta:

> **Uma pessoa sempre fará um esforço extra para transformar a visão de um futuro radiante em realidade.**

São Paulo, 24 de setembro de 1969
Meus queridos filhos
José, Antonio, Clóvis e Ermírio
Resumo dos nossos negócios

Foi sempre meu desejo diversificar os empreendimentos do nosso grupo industrial. Durante longos anos, verifiquei que quem tem tudo num só ramo de negócio tem alguns anos bons e muitos anos maus. Sempre baseei os nossos ramos industriais dentro do consumo de matérias-primas nacionais, não somente por serem necessárias ao desenvolvimento do país, como também para evitar pedir favores para o exterior na obtenção de matérias-primas básicas necessárias ao funcionamento das indústrias. Tais favores, em muitos casos, poderiam comprometer nossa maneira de agir em detrimento dos sadios interesses nacionais.

Tendo em vista os principais setores da produção nacional, procurei colocar nosso grupo dentro do que havia de melhor para a organização, ficando assim traçado o nosso destino. Por isso, temos condições, sem medo da concorrência, nos seguintes ramos: 1) alumínio, zinco e níquel; 2) cimento; 3) papel e celulose.

Com relação às outras empresas, como siderurgia, refratários, produtos químicos, tecidos, açúcar, são empresas que devem ser conservadas, pois as iniciamos com grandes sacrifícios, e, ainda que não proporcionem grandes lucros, precisamos manter aquilo que começamos.

Perdemos um campo de ação dos mais importantes, que é a petroquímica, por não termos tido recursos financeiros para iniciar na hora certa. É bem provável que no futuro algum ramo especializado desse setor possa ser iniciado, porquanto são os que dão melhores lucros. Mesmo assim, dependerá de contrato de fornecimento com a Petrobrás.

Desejo chamar a atenção de vocês, neste mais solene momento dos meus setenta anos de vida, que nenhum negócio deve abranger mais de 50% dos nossos recursos. Quem não diversificar a sua produção mais cedo ou mais tarde terá anos difíceis e de sacrifícios inúteis. Vejam o que está se passando agora com as grandes empresas americanas, inclusive os produtores de petróleo, que, possuindo o maior e melhor negócio do mundo, já estão entrando no campo dos fertilizantes, da metalurgia e dos produtos químicos, principalmente da petroquímica.

Outra coisa que recomendo a vocês é que sempre contribuam para as instituições úteis ao país ou para os menos favorecidos na vida. O Rotary tem um grande princípio: "Dar de si antes de pensar em si".

Nada mais tenho a dizer-lhes da longa experiência que tenho tido com vocês, pois tenho a certeza de que existe entusiasmo e lealdade para a empresa e um grande esforço de vocês para torná-la sempre objetiva e independente.

A continuação de tudo isso depende de vocês na harmonia, na lealdade de uns para com os outros e no interesse primordial de criarem seus filhos dentro de um regime de humildade, de ensinamentos adequados, pois sempre preguei em todas as universidades onde fiz conferências, no Senado da República e nas associações de classe que nenhum de nós tem o direito de ser arrogante e considerar-se superior aos demais, uma vez que com isso só demonstra fraqueza de conhecimentos, para que eles possam, no futuro, ser os contribuidores dessa obra, em prol de cujo crescimento temos trabalhado arduamente há 45 anos. Devem esses meninos ter contato com as fábricas desde moços, cada um frequentando o ramo que mais apreciar, visto que nem todos têm a mesma inclinação.

Recebam um paternal abraço de seu pai, José Ermírio de Moraes

Baraldi contou que, em decorrência dessa carta, a empresa distribuiu internamente um texto ressaltando os valores que devem nortear o trabalho. Aqui está:

Nesta mensagem escrita por ocasião de seu 70º aniversário, o senador José Ermírio de Moraes deixou palavras de significado muito profundo para todos nós. E por isso queremos compartilhá-la com vocês.

Cada palavra reflete a visão de um homem especial, cuja missão se prolonga em nossas mãos, assim como nas mãos de todos que integram o Grupo Votorantim.

Exemplo de inteligência empreendedora, ele revelou na sua obra que a flexibilidade é um fator intimamente ligado à viabilização do crescimento. Assim devem ser vistas todas as recomendações ligadas ao contexto histórico, pois tem sido indiscutível nossa capacidade de responder às necessidades de cada momento.

Com as decisões estratégicas adequadas, o Grupo Votorantim evoluiu, consolidando empresas de classe mundial, inspirado na visão do senador José Ermírio de Moraes. Afinal, os desafios e as respostas mudam com o passar dos anos, mas seus valores permanecem à prova do tempo.

É grande e honrosa a responsabilidade de levar adiante tamanha força de caráter. Os valores que o senador destaca, como perseverança no trabalho, independência, lealdade, entusiasmo, esforço próprio e humildade, não devem ser esquecidos em momento algum, pois sempre nos trarão o norte e o sentido que devemos dar a tudo o que fazemos. Em sua mensagem, ele também lembra que "dar de si, antes de pensar em si" é um princípio útil e verdadeiro para nossas ações sociais.

Disse tudo. Portanto, não há mais nada a acrescentar, a não ser que temos razão para nos orgulhar – sem arrogância, como diria o senador – de pertencer a este grupo brasileiro, cujo futuro certamente dependerá da nossa capacidade de cultivar os valores que ele nos ensinou.

Esses textos ilustram o que é imaginar o futuro e saber dar direção para obter êxito. Imagine-se no topo e você criará caminhos neurais que darão um norte aos seus passos, como um mapa mental. Você se tornará aquilo que imagina em sua mente.

Você nunca irá aonde sua mente não foi antes. Já definiu aonde você quer chegar?

Capítulo 7

Entusiasmo

Entusiasmo é um estado mental que inspira e incita a dar conta da tarefa em mãos. O entusiasmo é contagioso e afeta vitalmente não só o entusiasta, mas também todos que entram em contato com ele. O entusiasmo é a força motriz vital que impele à ação. Os grandes líderes são aqueles que sabem como inspirar entusiasmo nos seguidores.

O SEGREDO POUCO RECONHECIDO DO SUCESSO

Nada, absolutamente nada de grandioso foi criado e desenvolvido sem uma dose de entusiasmo. O espírito empreendedor tem o entusiasmo como norte. Em nossos treinamentos, sempre que perguntamos aos participantes o significado da palavra "entusiasmo", todos manifestam sua versão de forma entusiástica, relacionando à alegria, vontade, força de viver, felicidade e motivação. A palavra entusiasmo é entusiasmante. Porém, tudo isso é na realidade fruto do entusiasmo.

"Entusiasmo" vem do grego *entheos*, "em deus". Os gregos eram politeístas e acreditavam que a pessoa entusiasmada estava possuída por um deus, tinha um deus dentro de si, por isso manifestava vibração e vivacidade contagiantes. No verbete "entusiasmo", o *Dicionário Houaiss* registra: "nas religiões não cristãs da Antiguidade, estado de exaltação do espírito de quem recebe, por inspiração divina, o dom da profecia ou da adivinhação" e também "estado de fervor, de emoção religiosa intensa", "estado de exaltação da alma que vivencia o poeta ou o artista, arrebatado pela inspiração", "excitação, exaltação criadora; inspiração, estro", "força natural ou mística que impele a criar ou a agir com ardor e satisfação", "movimento violento e profundo da sensibilidade que leva ao amor ou à admiração apaixonada, às vezes excessiva ou paroxística, por alguém ou algo; arrebatamento", "dedicação fervorosa; ardor, paixão" e "alegria intensa, viva; júbilo".

Entusiasmo é o combustível, a força interior do ser humano. O entusiasmo pode brotar dentro da pessoa ou vir do ambiente. Quanto maior a capacidade de gerar entusiasmo dentro de si, maior a autonomia de voo. É importante observar que a vitamina do triunfo é o entusiasmo verdadeiro, não a euforia frívola. Algumas pessoas são naturalmente entusiasmadas, outras nem tanto. De qualquer forma, o entusiasmo deve ser cultivado e desenvolvido pela prática constante, como as demais qualidades que levam ao sucesso.

Você agora deve estar pensando: "Isso é maravilhoso! E como eu faço para ser uma usina de entusiasmo?". "As instruções são simples, mas pobre de você se não as valorizar", afirmou Napoleon Hill, didático e preciso:

- Complete o restante deste curso, pois, nas próximas lições, há outras instruções importantes que devem ser coordenadas com esta.

- Se ainda não o fez, escreva seu objetivo principal definido em uma linguagem clara e simples e a seguir escreva também o plano com que pretende transformar seu objetivo em realidade.

- Leia a descrição do objetivo principal definido toda noite; enquanto lê, veja-se de plena posse do objetivo. Faça isso com plena fé. Leia em voz alta. Repita a leitura até a voz dentro de você dizer que seu objetivo será realizado. Às vezes você sentirá o efeito dessa voz interior na primeira vez; em outras vezes, poderá ter que ler cinquenta vezes, mas não pare enquanto não a sentir. Se preferir, você pode ler o objetivo principal definido como uma prece.

- Para tornar-se bem-sucedido, você deve ser uma pessoa de ação. Apenas saber não é suficiente. É necessário saber e fazer. Entusiasmo é a mola mestra para colocar o conhecimento em ação. O entusiasmo não conhece derrota e nunca é questão de sorte. Existem certos estímulos que produzem entusiasmo, sendo os mais importantes os seguintes:
- Ocupação no trabalho que mais se ama.
- Ambiente onde se entre em contato com outros que sejam entusiasmados e otimistas.
- Sucesso financeiro.
- Domínio completo e aplicação das dezesseis leis no trabalho diário.
- Conhecimento de que se serviu aos outros de alguma maneira útil.
- Boa saúde.
- Boas roupas, apropriadas para a ocupação. (...) As roupas constituem a parte mais importante da arrumação de que toda pessoa precisa para se sentir autoconfiante, esperançosa e entusiasmada. Uma aparência de prosperidade sempre atrai atenção favorável, pois o desejo dominante em todo coração humano é ser próspero. Pode ser verdade que

> as roupas não fazem o homem, mas ninguém pode
> negar que roupas certas ajudam muito a garantir
> um bom começo.

Em seu livro *Do fracasso ao sucesso em vendas*, Frank Bettger cita como primeiro passo: "aja com entusiasmo e será entusiasta". A ação precede o sentimento, assim como uma gargalhada forçada produz um sorriso sincero. Quando "interpreta", a pessoa é levada a um esforço: o intérprete, o artista, o ator têm de arrancar de dentro de si um personagem. Você também acaba acendendo a chama do entusiasmo quando se esforça para ser entusiasmado.

Norman Vincent Peale cita o princípio do "como se" em seu livro *O poder do entusiasmo*. Se você deseja uma qualidade, aja como se já tivesse tal qualidade. Experimente essa técnica, funciona de forma extraordinária.

O entusiasmo não é um presente, não é uma chance – é uma decisão pessoal. Algumas atitudes melhoram sensivelmente o nosso entusiasmo, como manter-se bem-disposto, descontraído, alegre e energizado. Você pode utilizar energéticos naturais, como alimentação saudável e preces.

O entusiasmo é contagiante, não tem pátria nem senhores. Assim como os raios do sol, o entusiasmo penetra em todos os corações e ilumina a todos, basta sentir e manifestar a chama criadora que habita em nós. Quando um líder, um profissional ou empresário direciona seu entusiasmo, consegue dar sustentação a seus projetos e negócios.

Existem dois tipos de pessoas, as âncoras e os motores. Você deve se afastar das âncoras e juntar-se aos motores, porque estes irão para algum lugar e são muito mais divertidos. As âncoras apenas irão puxá-lo para o fundo.

Seja entusiasta e será um triunfador. A maior herança que um triunfador pode deixar para seus filhos é o entusiasmo pela vida.

O que mais o entusiasma na vida?

Capítulo 8

Autocontrole

"O autocontrole é a síntese do domínio da vida. É a capacidade de resistir à pressão, suportar as pancadas e desfrutar da vida e do trabalho."
– Napoleon Hill

Creso, um sábio filósofo e conselheiro de Ciro, rei da Pérsia, há aproximadamente 2.500 anos, disse: "Ó Rei, há uma roda da vida que controla o destino das pessoas. Ela opera por meio da mente humana, pelo poder do pensamento", e recitou um texto seu sobre a lucidez que encantou o rei e todos os presentes:

O homem lúcido sabe que a vida é uma carga tamanha de acontecimentos e emoções que ele nunca fica possuído pela euforia, assim como nunca teme a morte.

O homem lúcido sabe que o viver e morrer são o mesmo em matéria de valor, posto que a vida contém tantos sofrimentos que a sua sensação não pode ser considerada um mal.

O homem lúcido sabe que ele é o equilibrista da corda bamba da existência, sabe que por opção ou por acidente é possível cair no abismo a qualquer momento, interrompendo a sessão do circo. Pode também o homem lúcido optar pela vida, aí então ele esgotará todas as suas possibilidades, ele passeará pelo seu campo aberto, pelas suas vielas floridas, e ele saberá ver a beleza em tudo. Ele terá amigos, ideais, planos e os realizará. Existirão os infortúnios, até mesmo as doenças, e, se atingido por um desses emissários, saberá suportá-los com coragem e com imensidão.

Pairará então sobre a memória do homem lúcido uma aura de bondade. Dir-se-á, aquele que amou, aquele que fez bem às pessoas.

Ajusta a lei máxima da natureza, obriga que a quantidade de acontecimentos maus na vida de um homem se iguale sempre à quantidade de acontecimentos favoráveis. O homem lúcido, porém, esse que optou pela vida, com o consentimento de Deus, tem o poder magno de alterar essa lei. A justa lei máxima da natureza permite que o homem lúcido altere o rumo da sua vida para que os acontecimentos favoráveis sejam sempre a maioria. Essa é uma cortesia que a natureza faz com os homens lúcidos.

FALTA DE AUTOCONTROLE

Basta um instante de descontrole para acabar com uma vida. Os noticiários estão repletos desses exemplos. "É fato que a maioria das tristezas do homem decorre da falta de autocontrole", observou Napoleon Hill. Quem tem o domínio de si, tem o governo de suas ações, não desperdiça energia, tempo e recursos; assim, conduz sua vida e seus negócios com mais eficiência e tranquilidade.

Você não pode controlar os acontecimentos, mas pode controlar suas reações. Cabe a você escolher suas respostas ao que acontece. Para se aperfeiçoar nessa arte há que se desenvolver a capacidade de pensar. Pensar antes de falar, pensar antes de agir. Educar o pensamento e exercer o autocontrole é perfeitamente possível. Como tudo que mencionamos até aqui, é questão de prática.

QUANTO MAIS SERENO, MAIS FORTE

O médico Paul Tournier, famoso psiquiatra cristão, dizia: "O homem não morre. Ele se mata". Descontrole emocional, intemperança, conflitos morais e pessoais solapam lentamente a vitalidade e abrem caminho para as doenças.

A medicina comprovou que todas as emoções são acompanhadas por alterações físicas e bioquímicas. A cada variação de humor, uma cascata de moléculas de emoções – os neurotransmissores e os hormônios – fluem através do corpo, afetando cada célula. Quando estamos tristes, nosso fígado está triste, nossos rins estão tristes, nossa pele está triste. Cada emoção tem sua assinatura bioquímica: hostilidade é relacionada ao cortisol; alta energia, à adrenalina; amor, à oxitocina; felicidade, à dopamina; bem-estar, à endorfina e à serotonina; sensação de status elevado, à testosterona elevada; sensação de inferioridade, à testosterona baixa.

Muitas doenças relacionadas ao estresse estão ligadas às moléculas de emoção geradas pela resposta biológica denominada "lutar ou fugir". Em uma situação de perigo, o sistema nervoso simpático é instantaneamente ativado, estimulando a secreção do hormônio adrenalina das glândulas suprarrenais para lutar ou fugir da ameaça. Contudo, a adrenalina não é a vilã da história do conflito e do estresse. Nosso desempenho melhora com a secreção de adrenalina, aumentando a habilidade de lidar com desafios. Estudos realizados com paraquedistas na Noruega mostraram que aqueles que registraram maior aumento de adrenalina durante os saltos e também durante exames escritos tiveram os melhores desempenhos.

O vilão do estresse é o cortisol, outro hormônio secretado pelas glândulas suprarrenais. O cortisol é secretado quando o estresse é prolongado e, especialmente, quando acompanhado de emoções negativas, como hostilidade ou raiva. O cortisol é associado não só ao declínio no desempenho, mas também a doenças e morte prematura.

O doutor Redford Williams, da Universidade de Duke, nos Estados Unidos, provou que uma pessoa que se irrita facilmente – quando leva uma fechada no trânsito, quando fica presa na fila do banco ou do supermercado, quando trabalha com pessoas que considera incompetentes – chega a secretar quarenta vezes mais cortisol do que o normal e tem uma probabilidade sete vezes maior de morrer antes dos cinquenta anos. Como diz Williams, raiva mata.

Se quisermos responder apropriadamente aos múltiplos estressores à nossa volta, com autocontrole e equilíbrio, o ideal, de acordo com os cientistas, seria um leve aumento de adrenalina sem aumento de cortisol. E podemos treinar o corpo e a mente para isso.

A biopsicologia, também conhecida como psicobiologia, psicologia biológica ou neurociência comportamental, ensina como transformar a consciência e harmonizar as emoções por meio de exercícios que atuam nas glândulas endócrinas. As práticas – exercícios físicos, relaxamento, controle da respiração e visualização – são uma poderosa ferramenta para introduzir profundas mudanças positivas no sistema humano.

Pela prática diária de técnicas que atuam diretamente em nossos sistemas endócrinos e neurológicos, não precisamos de substâncias externas – álcool, cigarros ou drogas – para transformar nossa bioquímica interna e melhorar nosso humor. Podemos nos tornar mestres de nós mesmos, aumentando a flexibilidade emocional (permanecendo abertos e não defensivos em situações difíceis), a força emocional positiva sob pressão e a receptividade emocional (mantendo-nos sensíveis e conectados com cada pessoa à nossa volta).

Existem, portanto, duas maneiras de abordar a transformação da consciência: estudo e prática. O estudioso tende à abstração intelectual, discutindo com intermináveis palavras a importância da cooperação, do trabalho em equipe e da harmonia planetária. O praticante dedica-se à disciplina, de fato, e experimenta em cada célula do corpo a agradável sensação das moléculas da emoção de harmonia. São os praticantes que se mantêm mais facilmente em estado de equilíbrio mental. Eles se tornam capazes não somente de harmonizar a própria vida, mas também integrar as energias e potencializar as habilidades de todos ao seu redor. São eles os geradores de sinergia na família, nas organizações e na sociedade.

O VERDADEIRO PROBLEMA

A regra da vida é ser maior que o problema. O problema não é ter problemas, o problema é não saber resolver problemas.

Uma pessoa com autocontrole é uma solucionadora de problemas. No mundo dos negócios, a habilidade de resolver problemas é uma das chaves do sucesso. A falta de autocontrole atrapalha a habilidade de resolução. Pense no tempo que um indivíduo descontrolado perde com explosões de raiva e acusações, além do drama de tratar cada dificuldade como se fosse o fim do mundo. Pense quantas vezes você já ouviu alguém dizer que tinha um problema grave e, quando você averiguou, constatou que não era.

Pessoas controladas resolvem os problemas com maturidade e serenidade. Quanto maiores os problemas com os quais você lidar, maior o negócio que será capaz de conduzir; quanto maior o número de funcionários que administrar, maior o universo de clientes que poderá atender, maior o montante de dinheiro que conseguirá controlar e maior a fortuna que terá condições de acumular.

Um triunfador é sereno como um lago e firme como uma montanha. Um dos motivos pelos quais as pessoas ricas são maiores que seus problemas é estarem concentradas nas metas e não nos obstáculos. Em geral, a mente consegue focar uma coisa de cada vez. Portanto, ou a pessoa está se lamuriando por causa das dificuldades ou está trabalhando para saná-las. Os bem-sucedidos são orientados para soluções, empregam seu tempo e sua energia em estratégias e respostas para os desafios que surgem.

Um dia perguntaram a Bill Gates, fundador da Microsoft, qual a diferença entre ser bilionário e milionário. A resposta foi que, quando era milionário, tinha problemas de milionário, hoje tem problemas de bilionário. É um grave equívoco pensar que para ter qualidade de vida é preciso evitar adversidades: o que importa é saber lidar com as contrariedades.

Veja o exemplo do empresário Abilio Diniz, presidente do conselho de administração da Península Participações e membro dos conselhos de administração do Carrefour Global e do Carrefour Brasil. Formado em Administração de Empresas pela Fundação Getúlio Vargas em São Paulo, começou a trabalhar muito jovem na doçaria do pai. Em 1959, o pai, Valentim Diniz, inaugurou o primeiro supermercado Pão de Açúcar, com Abilio ao seu lado. Teve início uma escalada de sucesso.

Na virada da década de 1980 para 1990, Abilio enfrentou três graves situações. Em 11 de dezembro de 1989, foi sequestrado, passando sete dias em cativeiro. Em 1990, o Grupo Pão de Açúcar esteve à beira da falência. Houve ainda uma briga entre os irmãos Diniz pelo controle da empresa, resolvida somente em janeiro de 1994. Em 1995, Abilio abriu o capital do Pão de Açúcar. Em 1999, firmou sociedade com o grupo francês Casino. Em 2006, fundou a Península Participações para gerir os ativos da família Diniz.

Em 2009, o Grupo Pão de Açúcar adquiriu a rede Ponto Frio e se juntou às Casas Bahia. Dobrou de tamanho e de valor de mercado. Em 2010, Abilio criou o curso Liderança 360° na FGV, no qual leciona. O empresário tentou fundir o Pão de Açúcar com o Carrefour. Não conseguiu, enfrentando firme oposição da sócia Casino. As divergências levaram o empresário a optar pela saída do grupo Pão de Açúcar em setembro de 2013. Em 2014, a Península adquiriu expressiva participação acionária no Carrefour Brasil e, em 2015, no Carrefour Global.

> **Um dos motivos pelos quais as pessoas ricas são maiores que seus problemas é estarem concentradas nas metas e não nos obstáculos.**

Em 2016, Abilio Diniz completou oitenta anos com saúde invejável. Em 2019, a família Diniz criou a plataforma Plen para disseminar práticas e hábitos de vida saudáveis, a fim de promover a longevidade com qualidade.

Abilio Diniz é, sem dúvida, um triunfador. Pessoa admirável, movida por objetivos e pela fé, capaz de vencer dificuldades, suportar pressões e resolver conflitos com elegância.

Preparado para resistir à pressão que vier pela frente?

Capítulo 9

O hábito de fazer mais do que o combinado

As pessoas comuns fazem o combinado. Os campeões fazem mais do que o combinado. O mundo concede os seus grandes prêmios, tanto em dinheiro como em honras, para aqueles que fazem mais do que são pagos para fazer.

Diz um ditado do exército: "Quando você não aguentar mais correr, você ainda aguenta correr cinco quilômetros extras".

Existem várias maneiras de se construir uma reputação impecável e um patrimônio valioso. Assumir responsabilidades sem esperar pagamento por isso, antecipar-se aos problemas e se esmerar são alguns dos caminhos. Preocupar-se em fazer o máximo e o melhor em sua atividade ajuda a construir uma fina reputação. Não se pode dizer o mesmo da reputação que acompanha aqueles que estão sempre tentando fazer o mínimo e levar vantagem.

Triunfar requer atitude de vencedor, foco, coragem, conhecimento, especialização, total dedicação e persistência, ou seja, comprometer-se a fazer o máximo. Comprometer-se é dedicar-se incondicionalmente ao objetivo, seja qual for. Não é tarefa para qualquer um, mas você não é qualquer um.

Uma das formas mais eficazes de se destacar é fazer algo que pouca gente faz, ou seja, fazer mais do que o esperado. Nas palavras de Napoleon Hill:

> O simples fato de que a maioria das pessoas presta tão pouco serviço quanto possa cria uma vantagem para todos que prestam mais serviço do que são pagos para fazer, pois permite que lucrem com a comparação. É importante entender que o princípio de prestar mais e melhor serviço do que se é pago para fazer se aplica a empregadores e profissionais liberais e autônomos da mesma forma que a empregados.

Quando você faz apenas o que é pago para fazer, não há nada de extraordinário; porém, quando você faz mais do que é pago para fazer, sua ação atrai atenção favorável e propicia o estabelecimento de uma reputação que acabará fazendo a lei dos retornos crescentes trabalhar em seu favor, gerando ampla demanda por seus serviços.

Prestar mais e melhor serviço sempre foi o mote de vida de Itamar Serpa, fundador da Embelleze, empresa de produtos de beleza. Serpa atribui seu sucesso e a posição da sua companhia no mercado ao compromisso com a ética e a qualidade e, também, ao empenho de superar as expectativas das consumidoras.

Nascido em uma família pobre do Espírito Santo, aos quinze anos Serpa foi morar em Nova Iguaçu, no Rio de Janeiro. Foi *office boy* e cobrador de ônibus antes de começar a trabalhar no setor químico. Ingressou na faculdade de Química e deu

Quando você não aguentar mais correr, você ainda aguenta correr cinco quilômetros extras.

aulas para se manter enquanto estudava. Formado, comprou a empresa onde trabalhava e decolou ao desenvolver um creme alisador de cabelo que conquistou as brasileiras.

Hoje, a Embelleze tem um catálogo com mais de quinhentos produtos, entre tratamentos e tintas para cabelo, xampus e pós-xampus. A empresa tem filiais nos Estados Unidos e em Portugal; seus produtos estão presentes em mais de trinta países, como Inglaterra, Espanha, Holanda, Venezuela e Angola.

A Embelleze tem um manifesto que sem dúvida seria aprovado por Napoleon Hill. Confira:

1. DECLARAÇÃO: Todas as mulheres têm o direito de realizar seus sonhos, e eles são fundamentais para o desenvolvimento da humanidade.

2. COMPROMISSO: Estamos totalmente comprometidos com a realização da nossa declaração e faremos tudo que estiver ao nosso alcance para transformar a vida das mulheres por meio da beleza.

3. PROPÓSITO MAIOR: O desenvolvimento da humanidade pela beleza da mulher.

4. VISÃO: Temos o sonho de que todos enxerguem o mundo com um olhar feminino.

5. MISSÃO: Em cinco anos, queremos ajudar a transformar a vida de um milhão de mulheres no Brasil.

6. VALORES:
   - Beleza é paixão pela vida;
   - conhecimento da diversidade da beleza da mulher brasileira;
   - transformação;
   - crescimento;
   - transparência;
   - movimento passo a passo;

- espiral de transformação, você aprende com os seus erros e dificuldades;
- inclusão;
- assumir riscos e inovar;
- orgulho de ser Embelleze;
- lealdade;
- generosidade.

7. CAUSA: Participar da realização do sonho das mulheres.
8. ATITUDE:
- Otimista-realista;
- audaciosa;
- apaixonados pela vida;
- nunca desistir, como a mulher guerreira;
- sempre tentar de novo.

9. O CHAMADO: Conclamar todas as pessoas que se identificam com a nossa causa a se unir a nós e assinar o Manifesto da Embelleze.

Da empresa de cosméticos nasceu, em 1998, o Instituto Embelleze, hoje a maior rede de franquias do segmento de beleza da América Latina, já tendo formado mais de dois milhões de profissionais em dezenas de cursos (cabelo, maquiagem, unhas, barba, massagem, depilação, biossegurança, design de sobrancelhas, entre outros).

Além de administrar seu império voltado à valorização da beleza e da diversidade feminina, Itamar Serpa desenvolveu carreira política. Foi vereador de Nova Iguaçu e deputado federal pelo Rio de Janeiro.

Outro homem que sempre fez um esforço extra é João Braz Naves. Caçula de sete filhos, nasceu na roça, em Altinópolis, São Paulo. Calçou o primeiro par de sapatos aos doze anos; aos dezenove, com apenas uma mala, desembarcou em Ribeirão Preto. O coração chorava

Jamil Albuquerque, Márcio Abbud e Walter Kaltenbach

de saudade, mas a vontade de vencer na vida era maior. Conseguiu um emprego na rodoviária como bilheteiro, vendendo passagens e levando pacotes para os ônibus. O "Joãozinho da Rodoviária", como ficou conhecido, trabalhou nisso por quase dez anos. Ao perder o emprego em uma demissão em massa, Naves decidiu empreender. Em 1980, alugou um pequeno box na rodoviária e montou um serviço de coleta e entrega de mercadorias. Nascia a RTE Rodonaves. O entregador começou carregando as embalagens nas mãos e nos ombros. Depois de bicicleta, a "charmosinha". O primeiro veículo motorizado foi uma Kombi 1971.

Honesto, perseverante, com um jeito simples e dotado de uma alegria contagiante, Naves expandiu o negócio, mas recomeçou quase do zero ao desfazer a sociedade com uma empresa de ônibus. Quando as pessoas pararam de usar os ônibus para enviar pacotes, Naves reformulou seu negócio e a RTE Rodonaves cresceu para valer. Hoje, o Grupo Rodonaves é um dos principais do Brasil no setor de transportes, com cerca de quatro mil colaboradores diretos e faturamento de um bilhão de reais por ano em serviços de transporte de cargas, seguros e comercialização de caminhões novos e seminovos para mais de um milhão de clientes. O espírito do fundador de sempre prestar mais e melhor serviço garante à RTE Rodonaves o reconhecimento como uma das melhores transportadoras do país.

Além da estrutura que permite a prestação de serviços de excelência, a empresa se preocupa em fomentar a cidadania e a responsabilidade social. O Projeto Semear desenvolve ações práticas voltadas à solidariedade e à conscientização ambiental. O Semear gera mobilização e reforça nos colaboradores, clientes, fornecedores e parceiros os valores de base de João Naves e do Grupo Rodonaves: família, honestidade, perseverança, solidariedade, ética e transparência. As ações do Projeto Semear junto à comunidade e em prol do meio ambiente já alcançaram mais de 850 mil pessoas desde 2001.

O conceito desta lição – "o hábito de fazer mais do que o combinado – pode – e deve – ser aplicado de modo mais geral. Você deve buscar a excelência em tudo que faz: no trabalho, na academia, na refeição que prepara ao receber convidados... A ideia é ir além do básico e evitar o mais ou menos.

Pelé conquistou todos os títulos que um jogador de futebol poderia pretender e foi além, sendo eleito o atleta do século 20 em 1980. A qualificação de Pelé como gênio do futebol é unanimidade – chutava com os dois pés, cabeceava, lançava, armava, atacava, defendia, batia faltas, cobrava escanteios, marcava os adversários e tinha uma explosão muscular ímpar, aliada à agilidade, velocidade e incrível visão de jogo. Um jogador completo. Com dezessete anos já estava na Seleção Brasileira campeã do Mundial de 1958, e marcou um dos mais belos gols de todas as Copas, aplicando um chapéu no sueco Bengt Gustavsson dentro da área.

Craque por natureza, Pelé não se contentava em utilizar apenas o enorme talento. Era um atleta de dedicação extrema que não se limitava aos treinos coletivos normais. Costumava ficar depois do horário, praticando principalmente chutes a gol. Centenas deles. Todos os dias, no fim da tarde, lapidava as habilidades, trabalhava jogadas, buscando a perfeição. O resultado foi mais do que centenas de gols; Pelé era um artista, um virtuose; a plasticidade e beleza de seus passes e seu domínio total da bola o tornaram lenda. Pelé é um modelo de que quem sempre faz mais do que o esperado sempre faz o máximo e o melhor.

Tome a iniciativa de fazer mais do que aquilo que esperam de você. Quantos funcionários com atribuições sem visibilidade acabam se destacando porque fizeram mais do que o exigido? Isso ocorre tanto na execução do trabalho quanto na dedicação ao aprimoramento profissional e pessoal. É uma questão de estar preparado para as oportunidades e para os desafios. Estar apto para assumir novas responsabilidades.

É comum as pessoas se queixarem de que estão ganhando pouco. Pode ser verdade, mas também é verdade que muitas fazem pouco, fazem o mínimo ou até menos.

Nenhuma atividade vale a pena se for encarada apenas como uma obrigação para receber o salário no fim do mês. E a repercussão de trabalho feito de má vontade obviamente não impulsiona a carreira de ninguém.

Toda pessoa que faz algo além do esperado cativa os outros. Se você vende carros, antes de entregar o automóvel pode fazer uma revisão geral e encher o tanque; se é corretor de imóveis, pode entregar o imóvel limpo e deixar uma garrafa de champanhe para o cliente celebrar a compra.

Kaizen é uma palavra japonesa que significa melhoria contínua, mudança para melhor na vida pessoal, familiar, social e profissional. O conceito de *kaizen* foi incorporado pelas empresas do Japão após a Segunda Guerra Mundial e se tornou uma metodologia para redução de custos e aumento da produtividade adotada por grandes corporações e pequenos negócios no mundo inteiro. Você pode praticar a filosofia do *kaizen* na sua vida.

Pare e reflita:

- Quais as áreas em que você pode se aprimorar, fazer mais e melhor?
- O que você pode fazer além do esperado nas relações com a família, os amigos e contatos profissionais?
- Em que setores de sua vida você tem feito mais que o esperado?

Capítulo 10

Personalidade agradável

A maior de todas as vantagens de cultivar uma personalidade agradável reside não no ganho monetário e material, mas no aprimoramento do caráter. Seja agradável e você vai lucrar material e mentalmente, pois jamais ficará tão feliz como quando souber que está fazendo os outros felizes.

CARISMA QUER DIZER DOM DIVINO

Personalidade agradável é uma virtude das pessoas agregadoras, dos diplomatas. Uma pessoa de personalidade agradável é carismática, encanta, seduz, atrai e é hábil em construir redes de relacionamentos duradouras.

Personalidade é a imagem que a pessoa projeta no ambiente, a impressão que ela causa. É uma série de características que tornam o indivíduo peculiar, singular. Esse conjunto pode ser harmônico ou desarmônico, agradável ou desagradável, atraente ou repelente. Existem alguns fatores da personalidade que são externos, visíveis, e outros são invisíveis, intrínsecos à índole, parte do caráter.

Os fatores visíveis são definidos pela maneira de vestir, traços físicos, comportamento, gestos, tom da voz, entre outros. O fator mais importante da personalidade, no entanto, é o caráter, o valor moral e espiritual, além dos conhecimentos.

Carisma é um atributo importante para o sucesso. Empresários, executivos, esportistas, artistas e políticos famosos costumam ser carismáticos. Líderes são pessoas carismáticas.

Silvio Santos é um exemplo da força da personalidade. Tornou-se um dos apresentadores mais famosos da TV brasileira e acumulou enorme fortuna graças ao carisma, charme, convicção e entusiasmo. Silvio é um líder incontestável, magnético, tem extrema facilidade para falar em público – e com o público –, além de ser um grande negociador. Isso tudo torna a sua personalidade atraente e o credencia como um dos mais completos em seu ramo.

Uma personalidade agradável pode ser cultivada. Qualquer pessoa devidamente preparada pode adquirir um temperamento atraente, capaz de cativar e agregar. Para isso, Napoleon Hill dá algumas indicações úteis.

Primeiro, preste atenção em alguns detalhes, como o aperto de mão. Um aperto de mão firme, entusiasmado, porém sem ser rude, é cativante. A expressão do olhar também é importante. Esforce-se para que seus olhos transpareçam sinceridade, interesse. Forme o hábito de falar olhando nos olhos da outra pessoa. Esse é um fator importantíssimo para uma boa impressão. Um sorriso nos lábios ilumina qualquer semblante, tornando-o mais agradável.

O tom de voz é outro elemento ao qual devemos nos atentar. Preste atenção se a sua voz não soa muito estridente. Isso irrita. Voz muito baixa também acaba gerando certa indisposição no interlocutor, pois dificulta o entendimento do que se fala e dá a impressão de que a outra pessoa não ouve bem. A conversa fica desagradável. Se for o caso, procure a orientação de um profissional da área.

A vitalidade e a vivacidade causam impressão extremamente positiva. Um aspecto desanimado é péssimo. Fale com convicção, com firmeza.

Cultive o hábito de se interessar sinceramente pelas pessoas. Ouça de verdade o que elas têm a dizer. Os dois assuntos que as pessoas mais gostam de falar são de si mesmas e da vida alheia. Seja sensato, fale apenas de si. Falar da vida alheia é desperdício de energia mental. Chame as pessoas sempre pelo nome. Lembre-se, o homem morre, mas o nome fica.

Desenvolva uma atitude positiva, sem negativismos. É deprimente conversar com gente que vive se queixando, contando histórias tristes ou de fracassos. Dê ênfase ao lado bom das coisas, exalte o aspecto positivo da vida, e sua personalidade sem dúvida vai adquirir uma aura agradável.

A ARTE DA PERSUASÃO

Encerraremos este capítulo com um trecho da peça *Júlio César*, de Shakespeare, que Napoleon Hill reproduziu e comentou para ilustrar a forma de agir de uma pessoa carismática. Trata-se do célebre discurso de Marco Antônio após o assassinato de César. A técnica de Marco Antônio para influenciar aqueles que o escutam muitas vezes é usada por pessoas inescrupulosas; contudo, não é a ferramenta que é má, o problema é o mau uso e o abuso. Uma faca serve para cortar pão e também para matar.

Aqui está o fragmento; como os demais, é retirado de *O manuscrito original*:

> O cenário do discurso é mais ou menos o seguinte: César está morto, e Brutus, seu assassino, é convocado para dizer à multidão romana reunida na funerária por que o

eliminou. Imagine uma multidão ululante nada amigável a César e já crente de que Brutus fez uma nobre ação ao assassiná-lo. Brutus sobe ao palanque e faz uma curta declaração dos motivos para assassinar César. Confiante de que havia se saído bem, volta a seu lugar. Tudo em seu comportamento é arrogante, de quem acredita que sua palavra será aceita sem questionamento. Marco Antônio sobe ao palanque, sabendo que a multidão é antagonista porque ele era amigo de César. Em tom de voz baixo e humilde, começa seu discurso:

Marco Antônio: Em nome de Brutus, venho a vocês.

Quarto cidadão: O que ele diz de Brutus?

Terceiro cidadão: Ele diz que, em nome de Brutus, vem a nós.

Quarto cidadão: Melhor não falar mal de Brutus aqui.

Primeiro cidadão: Esse César era um tirano.

Terceiro cidadão: É, isso é certo; somos abençoados por Roma ter se livrado dele.

Segundo cidadão: Silêncio! Vamos ouvir o que Marco Antônio tem a dizer.

(Na frase de abertura de Marco Antônio, você pode observar seu método inteligente de neutralizar a mente dos ouvintes.)

Marco Antônio: Vocês, gentis romanos... (Tão gentis quanto uma gangue de bolcheviques em um encontro trabalhista revolucionário.)

Todos: Silêncio! Vamos ouvi-lo.

(Se Marco Antônio começasse seu discurso detonando Brutus, a história de Roma teria sido muito diferente.)

Marco Antônio: Amigos, romanos, compatriotas, ouçam-me com atenção: venho para enterrar César, não elogiá-lo.

(Aliando-se com o que ele sabia ser o estado de espírito

dos ouvintes.) O mal que os homens fazem sobrevive a eles, o bem com frequência é enterrado com seus ossos. Que assim seja com César. O nobre Brutus disse-lhes que César era ambicioso. Se assim era, era uma falha grave, e penosamente César pagou por ela. Aqui, com a permissão de Brutus e dos demais – pois Brutus é um homem honrado, assim como todos eles são homens honrados –, venho falar no funeral de César. Ele foi meu amigo – fiel e justo comigo, mas Brutus diz que ele era ambicioso, e Brutus é um homem honrado –, ele trouxe muito prisioneiros para Roma, cujos resgates encheram os cofres públicos. Isso parecia ambição em César? Quando os pobres choravam, César chorava. A ambição deve ser feita de material mais rijo. Ainda assim Brutus diz que ele era ambicioso, e Brutus é um homem honrado. Todos vocês viram que nas lupercais por três vezes presenteei-o com uma coroa real, que ele recusou três vezes. Isso era ambição? Ainda assim Brutus diz que ele era ambicioso, e Brutus certamente é um homem honrado. Não falo para desaprovar o que Brutus falou, mas estou aqui para falar o que sei. Vocês todos o amaram certa vez, não sem motivos. O que os impede de prantear por ele? Ó razão! Fugiste para feras brutais, e os homens perderam o juízo. Perdoem-me, meu coração está no caixão com César, e devo parar até ele voltar para mim.

(Nesse ponto, Marco Antônio faz uma pausa para dar à plateia oportunidade de discutir entre si, às pressas, suas declarações de abertura. O objetivo é observar o efeito que suas palavras estavam produzindo, assim como um mestre em vendas sempre encoraja o comprador potencial a falar para saber o que ele tem em mente.)

Primeiro cidadão: Parece-me que há muito em suas palavras.

Segundo cidadão: Caso se considere a questão acertadamente, César sofreu grande mal.

Terceiro cidadão: Será, senhores? Temo que virão piores no lugar dele.

Quarto cidadão: Notaram as palavras? Não aceitou a coroa. Portanto, com certeza não era ambicioso.

Primeiro cidadão: Se assim for, alguém há de pagar caro.

Segundo cidadão: Pobre alma! Seus olhos estão vermelhos como brasas por chorar.

Terceiro cidadão: Não existe em Roma homem mais nobre do que Marco Antônio.

Quarto cidadão: Atenção, ele começou a falar de novo.

Marco Antônio: Mas ontem a palavra de César podia contrariar o mundo; agora ele ali jaz, e nem o mais pobre lhe presta reverência. Ó, senhores (apelando à vaidade deles), se eu estivesse disposto a incitar motim e fúria em seus corações e mentes, deveria ofender Brutus e ofender Cássio, que, todos vocês sabem, são homens honrados. (Observe a frequência com que Marco Antônio repete o termo "honrado". Observe também a sagacidade com que levanta a primeira sugestão de que talvez Brutus e Cássio possam não ser tão honrados quanto a multidão romana acredita que sejam. Essa sugestão é manifestada nas palavras "motim" e "fúria", que ele usa aqui pela primeira vez, após a pausa ter dado tempo de observar que a multidão estava inclinando-se ao seu argumento. Observe com que cuidado ele "sente" o terreno e faz as palavras ajustarem-se ao que ele sabe ser a disposição mental dos ouvintes.) Não vou ofendê-los, prefiro ofender os mortos, ofender a mim e vocês, do que ofender homens tão honrados. (Cristalizando a sugestão de ódio a Brutus e Cassius, ele então apela para a curiosidade da plateia e começa a assentar a base para o clímax – um clímax que ele sabe que conquistará a multidão, porque está chegando lá com tanta sagacidade que a turba acredita que a conclusão é dela.) Mas aqui está um pergaminho com o selo de César. Encontrei-o em seus aposentos, é seu testamento. Deixe que o povo apenas ouça o testamento, que, perdoem-me, não pretendo ler (aguçando o apelo à curiosidade, fazendo a multidão acreditar que não pretende ler o testamento), e iriam beijar as feridas de César morto, e molhariam seus lenços em seu sangue sagrado. Sim, implorariam por um fio de cabelo dele como lembrança e, ao morrer, iriam citá-lo em testamento, deixando-o como um rico legado a seus descendentes.

(A natureza humana sempre deseja o que é difícil de conseguir ou aquilo de que está prestes a ser privada. Observe com quanta astúcia Marco Antônio desperta o interesse da turba e faz com que queira ouvir a leitura do testamento, preparando-a assim para ouvir com a mente aberta. Isso marca seu segundo passo no processo de neutralizar as mentes.)

Todos: O testamento! O testamento! Ouçamos o testamento de César!

Marco Antônio: Tenham paciência, gentis amigos, não devo lê-lo, não é bom que saibam o quanto César os amou. Vocês não são madeira, não são pedras, mas homens; e, sendo homens, ao ouvir o testamento de César, isso irá inflamá-los (exatamente o que ele deseja fazer), fará com que fiquem loucos. É bom que não saibam que são herdeiros dele, pois, se souberem, o que pode vir disso!

Quarto cidadão: Leia o testamento, iremos ouvir, Marco Antônio. Você deve ler o testamento, o testamento de César.

Marco Antônio: Vocês serão pacientes? Ficarão calmos? Já me excedi ao falar a respeito disso, temo ofender os homens honrados cujos punhais esfaquearam César, temo isso.

("Punhais" e "esfaquearam" sugerem um assassinato cruel. Observe a sagacidade com que Marco Antônio injeta essa sugestão no discurso e observe também a rapidez com que a turba capta o significado, porque, sem que a multidão saiba, Marco Antônio cuidadosamente prepara suas mentes para receber a sugestão.)

Quarto cidadão: Eram traidores os homens honrados!

Todos: O testamento! O testamento!

Segundo cidadão: Eram vilões, assassinos, o testamento!

(Justamente o que Marco Antônio teria dito no início, mas ele sabia que teria um efeito mais desejável se plantasse o pensamento na mente da multidão e permitisse que ela mesma dissesse isso.)

Marco Antônio: Vocês irão me obrigar a ler o testamento? Então, façam um círculo em torno do corpo de César e deixem-me mostrar-lhes aquele que fez o testamento. Descerei, e vocês me darão permissão?

(Nesse momento Brutus deveria ter começado a procurar por uma porta dos fundos para escapar.)

Todos: Desça!

Segundo cidadão: Desça!

Terceiro cidadão: Deem espaço para Marco Antônio, o nobilíssimo Marco Antônio.

Marco Antônio: Não cheguem tão perto de mim, afastem-se.

(Ele sabia que tal ordem faria com que quisessem se aproximar, que era o que ele queria que fizessem.)

Todos: Para trás. Deem espaço.

Marco Antônio: Se vocês têm lágrimas, preparem-se para derramá-las agora. Vocês todos conhecem este manto. Lembro da primeira vez que César o colocou, foi em uma tarde de verão, em sua tenda, no dia em que derrotou os nérvios. Vejam, neste ponto deslizou o punhal de Cássio, vejam que rasgão fez o invejoso, por aqui o bem-amado Brutus o apunhalou, e, quando retirou a lâmina amaldiçoada, observem como o sangue de César seguiu-a, como se correndo porta afora para certificar-se se era Brutus ou não que tão rudemente havia batido, pois Brutus, como vocês sabem, era o anjo de César. Julguem, ó deuses, o quão carinhosamente César o amava! Esse foi o corte mais rude de todos, pois, quando o nobre César viu Brutus o apunhalar, a ingratidão, mais forte que os braços do traidor, deveras venceu-o, e então explodiu seu poderoso coração. E, cobrindo o rosto com seu manto, bem aos pés da estátua de Pompeu, enquanto o sangue escorria, o grande César caiu. Ó, que queda foi, meus compatriotas! Então eu, vocês e todos nós caímos, enquanto a traição sangrenta florescia sobre nós. Ó, agora vocês choram, e percebo que sentem a força da piedade; essas são gotas preciosas. Almas bondosas, por que choram ao olhar apenas a veste ferida de nosso César? Olhem aqui, aqui está ele, desfigurado, como veem, por traidores.

(Observe como Marco Antônio agora usa a palavra "traidores" livremente, porque sabe que está em harmonia com as mentes da turba romana.)

Primeiro cidadão: Ó, espetáculo lamentável!

Segundo cidadão: Ó, dia desgraçado!

Terceiro cidadão: Ó, dia desgraçado!

Primeiro cidadão: Ó, visão mais sangrenta!

Segundo cidadão: Vamos nos vingar.

(Fosse Brutus um homem sábio em vez de presunçoso, a essa altura estaria a muitos quilômetros desse cenário.)

Todos: Vingança! Já! Buscar! Queimar! Fogo! Matar! Assassinar! Não deixemos um traidor vivo!

(Aqui Marco Antônio dá o próximo passo para a cristalização do frenesi da turba em ação; mas, mestre em vendas sagaz que é, não tenta forçar essa ação.)

Marco Antônio: Fiquem, compatriotas.

Primeiro cidadão: Silêncio aqui! Ouçam o nobre Marco Antônio.

Segundo cidadão: Nós ouviremos, nós seguiremos, nós morreremos com ele.

(Com essas palavras Marco Antônio sabe que tem a turba do seu lado. Observe como ele tira vantagem desse momento psicológico – o momento que todos os mestres em venda esperam.)

Marco Antônio: Bons amigos, caros amigos, não me deixem incitá-los a um acesso tão súbito de motim. Os que cometeram esse ato são honrados. Que aflições particulares eles têm, ai de mim, não sei, que os levou a fazer isso. Eles são sábios e honrados e irão sem dúvida apresentar-lhes seus motivos. Não venho, amigos, roubar seus corações. Não sou orador como Brutus, mas, como todos vocês sabem, sou um homem simples, franco, que ama seu amigo, e isso sabem muito bem os que me deram permissão pública para falar dele. Porque não tenho nem sagacidade, nem palavras, nem valor, nem ação, nem expressão, nem o poder da palavra para agitar o sangue dos homens. Eu apenas falo sem rodeios, digo-lhes o que vocês já sabem. Mostro-lhes as feridas do doce César, pobres, pobres bocas mudas. E ordeno-as a falar por mim. Mas, se eu fosse Brutus, e Brutus fosse Marco Antônio, aí Marco Antônio insuflaria o espírito de vocês e colocaria uma língua em cada ferida de César, línguas essas que deveriam mover as pedras de Roma para sublevar um motim.

Todos: Vamos nos amotinar.

Primeiro cidadão: Vamos queimar a casa de Brutus.

Terceiro cidadão: Vamos então! Vamos atrás dos conspiradores.

Marco Antônio: Ouçam-me, compatriotas, ouçam-me falar!

Todos: Silêncio! Ouçam Marco Antônio. O nobilíssimo Marco Antônio!

Marco Antônio: Por que, amigos, vocês vão fazer sabe-se lá o quê; por que César merece assim o amor de vocês? Oras, vocês não sabem; devo lhes dizer, então. Vocês esqueceram do testamento de que falei.

(Marco Antônio agora está pronto para jogar seu trunfo, pronto para atingir o clímax. Observe quão bem ele agrupou suas sugestões, passo a passo, guardando até o fim a declaração mais importante, aquela com que contava para a ação. No grande campo das vendas e da oratória, muitos homens tentam chegar a esse ponto cedo demais; tentam apressar a plateia ou o cliente potencial e por isso perdem o apelo.)

Todos: Grande verdade, o testamento! Vamos ficar e ouvir o testamento.

Marco Antônio: Aqui está o testamento, com o selo do César. Para cada cidadão romano, para cada homem, ele dá 75 dracmas.

Segundo cidadão: Nobilíssimo César! Vingaremos sua morte.

Terceiro cidadão: Ó, régio César!

Marco Antônio: Ouçam-me com paciência.

Todos: Silêncio, já!

Marco Antônio: Além disso, ele deixou todos seus passeios, seus bosques privados e pomares recém-plantados deste lado do Tibre, deixou para vocês e para seus herdeiros, para sempre; prazeres comuns, para passearem e se divertir. Aqui estava um César! Quando virá outro?

Primeiro cidadão: Nunca, nunca. Venham, vamos, vamos! Queimaremos seu corpo no lugar sagrado e com a lenha incendiaremos as casas dos traidores. Peguem o corpo.

Segundo cidadão: Busquem fogo.

Terceiro cidadão: Arranquem os bancos!

Quarto cidadão: Arranquem bancos, janelas, qualquer coisa.

Com esse discurso, Marco Antônio conseguiu fazer com que a população acreditasse ser dela a ideia de vingar o assassinato de César.

Preparado para ser uma pessoa interessante e atraente?

Capítulo 11

Pensar com segurança

Pensamento preciso envolve dois elementos essenciais: separar fatos de mera informação e separar fatos relevantes e irrelevantes. Todos os fatos que você pode usar na realização de seu objetivo principal definido são importantes e relevantes; todos os demais são desimportantes e irrelevantes. A negligência em fazer essa distinção contribui para o abismo que separa pessoas que parecem ter as mesmas habilidades e oportunidades.

PENSAMENTOS SÃO CAUSAS

Uma pessoa que controla a própria mente está capacitada a tomar posse de qualquer coisa que venha a desejar, dizia Napoleon Hill. Um indivíduo que possui um cérebro bem preparado, com conhecimentos organizados, sempre terá capital à disposição. Pensamento preciso requer disciplina e ordem.

A primeira coisa a fazer é separar os fatos. Existe muita informação que não se baseia em fatos. O século 21 é a era das *fake news*, com a internet inundada de mentiras de todo tipo. É preciso checar os dados em mais de uma fonte e verificar a confiabilidade dessas fontes, lembrando que as pessoas podem propagar informações de seu interesse como se fossem fatos.

Além disso, os fatos nem sempre são de nosso agrado, o que pode levar à tentação de ignorá-los ou torcê-los. "Muita gente confunde, de modo consciente ou não, conveniência com fato, agindo conforme seus interesses. É incrível a quantidade de gente que é 'honesta' quando é lucrativo, mas que encontra miríades de fatos para se justificar ao seguir um caminho desonesto quando este parece mais lucrativo", pontuou Hill.

Selecionados os fatos, é preciso fazer uma triagem, pinçar a informação útil e descartar o que não terá aplicação. A humanidade hoje tem acesso a um volume de dados gigantesco; é fundamental realizar uma seleção para não acabar soterrado e paralisado. Ou perdido. Napoleon Hill já advertia no século passado, bem antes da TV e da internet: "É importante selecionar os fatos importantes porque você pode trabalhar tão arduamente para organizar, classificar e utilizar fatos irrelevantes quanto para lidar com fatos relevantes; a diferença é que não realizará muito".

Para resumir: você tem que pensar com a própria cabeça. Hill ressalta:

> O termo "pensamento preciso" conforme utilizado nesta lição se refere ao pensamento de sua criação. O pensamento que chega a você de outros não é pensamento preciso, embora possa ser baseado em fatos. O pensamento preciso faz uso inteligente de todos os poderes da mente e não cessa com o mero exame, classificação e organização de ideias. O pensamento preciso cria ideias e pode trazer essas ideias à sua forma mais rentável e construtiva.

Entramos aqui na discussão do elemento que mais atrapalha o pensamento preciso. O problema é que você tem uma companheira que jamais o abandona, mais próxima que sua sombra. Essa companheira está sempre grudada em você, dia e noite. Não há como se desvencilhar dela. Essa companhia constante é sua tagarelice mental.

Se observar sua mente, há sempre um monólogo em curso. Começa no momento em que você abre os olhos pela manhã e prossegue a cada segundo até você fechar os olhos à noite. Com mais frequência do que você gostaria, essa tagarelice o impede de mergulhar no sono. Em algumas ocasiões, quando você enfim consegue adormecer, ela transforma o que deveria ser um período de recuperação em um repouso tumultuado.

Ao examinar sua tagarelice mental, você verá que se trata de uma torrente contínua de sons, mas perceberá também que a algaravia tem padrões. Um dos mais poderosos e predominantes é o julgamento ou crítica. Essa voz trabalha como um martelo. Às vezes é um martelo de joalheria que constrói coisas belas; outras vezes o mesmo martelo destrói as joias da família. De quando em quando, a voz interior é um martelar repetitivo que provoca uma leve dor de cabeça; às vezes é como um malho golpeando uma bigorna, e aí parece que sua cabeça vai explodir.

Sem controle, a voz interior pode arrasar com você. "Você é um estúpido", diz ela. "Estúpido desse jeito e conseguiu um emprego? Você não merece. Bom, de qualquer modo você sempre acha um jeito de estragar tudo. Vamos só esperar para ver."

Em outros momentos, a voz é mais sutil nos comentários, mas igualmente perniciosa. Quando faz comparações negativas, por exemplo: "Olha só o fulano", murmura. "Isso sim é saber falar. Que fluência! E sempre tem uma palavra gentil, um elogio gracioso ou algo inteligente a dizer. Nunca perde a fala nas reuniões. Você tinha que ser assim, em vez de se atrapalhar na leitura de Power Point."

A voz julgadora não deixa passar nada. Julga os outros também: "Olha que jeito esquisito de andar. Já deve ter tomado uns dois drinques", ou: "Que casal encantador. Devem ter um ótimo casamento". Embora a voz julgadora possa eventualmente ser agradável e tecer comentários positivos, o mais comum é que critique tudo e todos. A começar por você. A voz julgadora tem a capacidade infalível de se insinuar no fluxo da tagarelice mental de forma insidiosa.

Quando você acorda e começa a pensar em tudo o que tem para fazer no dia, antes de qualquer ação a voz julgadora relembra todas as suas fraquezas e todos os seus fracassos. Quando a lista de afazeres começa a crescer mais rápido que saco de pipocas no micro-ondas, a voz julgadora intervém: "Não vai conseguir dar conta de nem metade disso. Você é um irresponsável. Por que ficou vendo TV até de madrugada? Não tem autocontrole. Por isso nunca vai chegar a lugar nenhum, nunca vai conseguir realizar nada".

Seu chefe é insuportável, e você pensa em dizer que não vai mais tolerar as grosserias dele; vem a voz e apita: "Isso é burrice. Fique grato por ter um emprego. Um monte de gente daria o braço direito para estar onde você está. Vai deixá-lo irritado, vai ser demitido, e aí? Irá para onde?". A voz interior o mantém preso em situações doentias, alardeando tragédias e pintando cenários catastróficos.

Com o tempo, os julgamentos negativos se acumulam e viram uma gigantesca barreira à sua frente, obstruindo o caminho que leva à vida desejada. É como um recife de coral, capaz de rasgar o fundo da mais robusta embarcação. O pólipo de coral é um organismo minúsculo, mas ao morrer deixa um esqueleto ósseo. Isolado, um pólipo é insignificante e não causa dano algum. Mas dezenas de milhares de pólipos morrem e seus esqueletos se juntam, formando um impressionante recife. A tagarelice mental e a voz julgadora são como pólipos de coral.

Cada julgamento, cada comentário negativo pode desaparecer como um pólipo. Porém, cada um deixa a sua marca.

Você tem dado atenção ao fluxo ininterrupto de tagarelice mental durante todos os momentos de vigília há décadas. Esse fluxo deixa resíduos. O acúmulo torna-se um entulho robusto. Tão robusto quanto um recife de coral. Esse recife é a sua realidade. Ela o aprisiona. E foi você que a construiu. Você jamais se deu conta do que estava erigindo. Ainda que às vezes tivesse consciência de seu negativismo, provavelmente descartou tal percepção, rotulando-a como desimportante ou considerando merecidas as críticas.

Você já visitou algum site da internet que travou seu navegador e aí o inundou com anúncios em janelas *pop-ups*? Você clica no "x" para fechar a janela ou o programa e nada acontece. Ou a tela fecha, mas é imediatamente substituída por outra e mais outra. É como espantar um enxame de insetos. Às vezes, a única saída é formatar o computador. Nossa tagarelice mental funciona nesse padrão de *pop-ups*. O que são os *pop-ups* da voz interior? São todas as ideias, crenças, hábitos e atitudes que você acumulou. Provêm de seus pais, parentes, professores e amigos, da sociedade e da mídia. Você pega informações aqui e ali e absorve tudo sem submeter a exame. E esse material invade e controla sua mente e sua vida, intrometendo-se constantemente sem sua permissão. Você tem sua mente e sua vida sequestradas como o navegador.

De onde vêm os *pop-ups* mentais? Tanto de sua mente como do mundo que o cerca. Você passou décadas acumulando um gigantesco banco de dados. O material armazenado é ativado automaticamente centenas de vezes por dia a partir de seus pensamentos e estímulos do ambiente.

Napoleon Hill afirmou: "Pensamentos são coisas. Você tem absoluto controle sobre seu pensamento. Se você tem o poder de controlar seus pensamentos, recai sobre você a responsabilidade de seus pensamentos serem positivos". Uma pessoa não pode ter uma vida realizada e plena se não descobre o valor do pensamento positivo.

Em um treinamento de MasterMind em Sertãozinho, São Paulo, o empresário Toninho Savegnago disse em uma palestra: "Nunca conheci um pessimista rico". Ele e sua família começaram com um pequeno armazém; hoje a rede de supermercados Savegnago tem o maior faturamento do setor no interior de São Paulo.

Pessimistas são derrotados por si mesmos. Para eliminar a voz negativa interior, você precisa acreditar que merece receber o que deseja com toda sua força, deve estar integrado por inteiro ao seu objetivo. "Pensamento criativo pressupõe manter a mente em um estado de expectativa de realização do objetivo principal definido, ter plena fé e confiança em sua realização", frisou Napoleon Hill.

Preparado para eliminar as tagarelices mentais?

Capítulo 12

Concentração e foco na coisa certa

"Concentração no sentido aqui utilizado refere-se a focar a mente em dado desejo até os meios para sua realização serem elaborados e colocados em funcionamento com sucesso. Significa a capacidade, por meio do hábito e da prática, de manter a mente em um assunto até ter se familiarizado com ele e o dominado por completo. Significa a capacidade de controlar a atenção e concentrá-la em determinado problema até resolvê-lo. Significa a capacidade de lançar fora os efeitos de hábitos que você deseja descartar e o poder de construir novos hábitos a seu gosto. Significa autocontrole completo. Dizendo de outra maneira, concentração é a capacidade de pensar como você deseja pensar, de controlar os pensamentos e direcioná-los para um fim definido e de organizar o conhecimento em um plano de ação sólido e viável."

— Napoleon Hill

Eduque-se na concentração em uma única atividade e você se habituará a focar sua inteligência em tudo o que fizer. Habitue-se a empregar todo o seu pensamento em cada ação, sem deixá-lo se desviar para outra coisa, e você se tornará capaz de dirigir suas forças, ampliando exponencialmente seu potencial de realização.

Conta a lenda que havia um rei que tinha grande interesse nos poderes da mente e honrava os sábios que visitavam sua corte. Um dia, um sábio fez um belo discurso diante do rei e dos ministros sobre o elemento fundamental da concentração da mente. O sábio explicou que a maior parte das proezas executadas por certos místicos baseavase unicamente na concentração perfeita, isto é, na atenção firme em um único objeto escolhido.

Um dos ministros discordou e disse não acreditar que a mente humana pudesse ser dirigida como um navio.

– Não acredito que nem mesmo os maiores sábios possam concentrar a atenção sem se distrair por outros pensamentos ou imagens – declarou o jovem e intelectual ministro.

O rei ficou descontente, e seu olhar tornou-se duro. Depois de um momento de reflexão, disse o soberano:

– Tragam o carrasco com sua espada e o cepo de decapitação; encham também uma bacia com água.

Cumpridas as ordens, o rei voltou-se para o ministro cético e disse:

– Sua opinião mostra que você é inexperiente e não tem condições de me servir. A penalidade para isso é a morte, e o carrasco está à espera para aplicá-la. Mas lhe darei uma chance de salvar sua vida. Pegue essa bacia cheia de água e caminhe ao redor do palácio e pelos jardins. Sete guardas o acompanharão; se eles virem uma única gota espirrar da bacia, você será decapitado ao voltar.

O desafortunado ministro ficou pálido, mas não havia escolha. Pegou a bacia e iniciou a caminhada. Quando, retornou meia hora depois, exausto, os guardas garantiram que nem uma única gota havia espirrado.

– Você está livre – disse o rei – sob a condição de contar o que se passou durante o trajeto.

– Ah, meu soberano – disse o ministro –, eu estava tão focado observando a água na bacia a fim de não deixar cair nenhuma gota que não vi nem ouvi nada!

O rosto do sábio rei ficou feliz.

– Veja, ministro – disse o soberano –, a concentração é perfeitamente possível, e você conseguiu excluir todos os pensamentos de sua mente quando teve o desejo genuíno de assim fazer. Com sua vida em risco, você usou todos os seus poderes, não se distraiu e escapou da espada.

Certa vez perguntaram a um equilibrista como ele caminhava na corda bamba. "Antes de atravessar, olho para o outro lado com determinação e foco até me ver lá. Quando me vejo, fico tranquilo, porque é só ir ao meu encontro", respondeu ele.

Controlar uma máquina significa ter condições de colocá-la em ação, modificar sua velocidade e fazê-la parar quando necessário. É exatamente isso que se faz com a mente disciplinada. O verdadeiro poder de concentração não é apenas a habilidade de dirigir e manter por alguns minutos a atenção focada exclusivamente, por exemplo, na cabeça de um alfinete, e sim a capacidade de fazer parar a máquina pensante e observá-la parada.

O artista que pinta um quadro sente-se seguro de que suas mãos lhe obedecem e executam o movimento exigido. Por isso, nem pensa no assunto e trabalha sem se preocupar, sabendo que as mãos farão o que ele deseja. Poderia você afirmar com plena certeza que pensa sempre só o que quer e, portanto, sabe de onde os pensamentos surgem? Você consegue impedir a ocorrência de pensamentos indesejados ou limitar sua permanência na mente consciente pelo tempo que desejar?

A capacidade de concentração é proporcional à força de vontade.

A capacidade de concentração é proporcional à força de vontade. Como desenvolver essa força essencial? Depende da firmeza para dominar impulsos, sentimentos e palavras na vida diária. Em outras palavras: sua força de vontade aumenta à medida que você controla seus impulsos e palavras.

Coloque suas palavras sob controle. Suprima toda fala desnecessária ou sem significado. Você vai economizar milhares de sílabas, e isso lhe proporcionará energia extra para o que interessa. É um método simples, cuja prática regular fortalecerá sua força de vontade cada vez mais.

Todavia, seja prudente e suprima apenas o desnecessário. Se um parente, amigo, colega de trabalho ou superior hierárquico abordar um assunto relevante, será insensatez permanecer calado. Reduza as palavras pronunciadas por iniciativa própria, algo inteiramente dentro de suas possibilidades. Com a prática dessa pequena restrição, começamos a sentir nossa bateria interna carregada. Como isso se manifesta? De diferentes formas em diferentes pessoas, mas em geral é semelhante a uma leve tensão (não desagradável) na cabeça ou nas células nervosas. Nos sentimos mais tranquilos, mais autoconfiantes; o nervosismo e a ansiedade diminuem.

Devemos praticar esse exercício até estarmos em condições de tentar renúncias um pouco maiores. Notaremos então que, quanto maior o desejo dominado, maior será nossa força interior. Por fim, quando se quiser executar algo que exija grande força de vontade, será mais fácil do que antes, pois a mente estará treinada e se concentrará no objetivo, sem escorregar para os antigos hábitos e sem ceder a impulsos.

Pode se comparar o treinamento da força de vontade com o treinamento físico. Para obter o máximo rendimento de seus músculos, você tem que começar de leve e ir aumentando a intensidade. Afinal,

Jamil Albuquerque, Márcio Abbud e Walter Kaltenbach

quem nunca passou pela experiência de se matricular em uma academia, treinar feito louco no primeiro dia e passar os próximos três dias todo dolorido?

Será que vale a pena fazer o esforço de dominar o pensamento e exercitar a concentração no objetivo principal? O que você conseguiria se mantivesse a disciplina diária e jamais desistisse?

Iolando Araújo, empresário de revenda de veículos no oeste da Bahia, contou que, quando tinha uma concessionária de automóveis em Barreiras, vendia de dois a três caminhões por mês. Quando resolveu concentrar-se na venda de caminhões, passou a comercializar de 25 a 30 unidades por mês.

"Aprenda a fixar a atenção em um assunto por vontade própria, por qualquer espaço de tempo que queira, e você terá aprendido a passagem secreta para o poder e a abundância", disse Napoleon Hill. Você precisa concentrar sua mente no que quer e não a deixar divagar e se extraviar em pensamentos aleatórios, ou – pior ainda – pensamentos sobre o que você não quer e cenários de fracasso, doença ou pobreza. Hill escreveu muito sobre o poder da mente para atrair aquilo que ocupa os pensamentos de um indivíduo, e daí a necessidade imperativa de se concentrar no objetivo principal e barrar todo tipo de ideia negativa. Ele inclusive sugere um exercício:

TAREFA PARA VOCÊ

Realize a seguinte prática de fixar a atenção em seu objetivo principal definido pelo menos duas vezes ao dia: vá para algum lugar calmo onde não seja perturbado, sente-se e relaxe completamente a mente e o corpo; em seguida, feche os olhos e coloque os dedos nos ouvidos, excluindo os ruídos e a luz. Nessa posição, repita seu objetivo principal definido e, enquanto faz isso, imagine-se de plena posse dele. Se uma parte do objetivo é a acumulação de dinheiro, como sem dúvida é, veja-se de posse do dinheiro. Se uma parte do objetivo definido é a propriedade de uma casa, veja uma imagem dessa casa, exatamente como espera vê-la na realidade.

Capítulo 13

Conseguir cooperação

"Desafortunado aquele que, por ignorância ou egoísmo, imagina que possa navegar pelo mar da vida na casca frágil da independência. O sucesso não pode ser alcançado exceto por esforço pacífico, harmonioso e cooperativo; tampouco pode ser alcançado de forma solitária ou individual. (...) Qualquer forma de esforço em grupo, em que duas ou mais pessoas formam uma aliança cooperativa para realizar um objetivo definido, torna-se mais poderosa do que o simples esforço individual. O esforço cooperativo produz poder, mas o esforço cooperativo baseado em completa harmonia de objetivo desenvolve um superpoder."
– Napoleon Hill

O IMPORTANTE DA JORNADA SÃO AS COMPANHIAS

Cooperação é ação em conjunto, é a coordenação de esforços para se atingir um objetivo específico. Os sociólogos concluíram que competição gera maior insegurança pessoal e menor qualidade nos resultados, enquanto cooperação gera maior produtividade por unidade de tempo e melhor qualidade nos resultados.

Todos sabemos que é melhor cooperar do que competir, compartilhar do que acumular, amar do que odiar, tecer do que rasgar a teia da vida. Recentemente começaram a surgir evidências de que a cooperação rende benefícios não apenas emocionais para os indivíduos e de qualidade nos resultados do trabalho, mas também financeiros. Em uma pesquisa com o Instituto Hay, nos Estados Unidos, o psicólogo Daniel Goleman verificou que pessoas que alcançavam pontuação mais alta nos testes psicológicos de empatia e capacidade de compreender os sentimentos dos outros ganhavam em média cinquenta mil dólares a mais por ano. Outro estudo do Centro para Liderança Criativa, também nos Estados Unidos, mostrou que 82% dos profissionais que fracassam na carreira não afundam por não falar outro idioma ou estar desatualizado em informática, mas por falta de habilidade para se relacionar com os outros – por falta de controle emocional.

Tudo isso soa muito bem na teoria, mas, na prática, com frequência a realidade é outra. Uma anedota ilustra isso com perfeição:

Uma vez um pregador em visita a um vilarejo fez um sermão sobre generosidade a um grupo de camponeses. Depois perguntou:

– Se vocês tivessem dois carros, o que fariam?

– Eu manteria um para mim e daria o outro para uma pessoa necessitada – respondeu um camponês.

– Sim, esse é o espírito do compartilhar – encorajou o pregador. – E se você tivesse duas casas?

– Eu ficaria com uma e daria a outra para um sem-teto – respondeu o camponês.

– Isso é que é ser generoso – aprovou o pregador. – E se você tivesse duas galinhas?

O camponês, nervoso, disse:

– Eu ficaria com as duas.

– Mas por quê? Por que você ficaria com as duas galinhas, quando agora mesmo demonstrou ter um coração tão generoso?

O camponês semicerrou os olhos e respondeu:

– Porque eu já tenho duas galinhas.

O fato é que pregamos colaboração e parceria, mas não raro cometemos deslizes e agimos de modo ganancioso e dominador. Napoleon Hill foi eloquente ao abordar a importância e os benefícios da cooperação:

> O sucesso na vida não pode ser alcançado exceto por esforço pacífico, harmonioso e cooperativo. O sucesso tampouco pode ser alcançado de forma solitária ou individual. Ainda que um homem viva como eremita na natureza, longe de todos os sinais de civilização, ele depende de forças externas para existir. Quanto mais se torna parte da civilização, mais dependente do esforço cooperativo fica.

Quer um homem se sustente com trabalho diário, quer com os juros da fortuna que acumulou, irá se sustentar com menos oposição mediante a cooperação amigável com outros. Além disso, o homem cuja filosofia é baseada em cooperação em vez de competição não apenas irá adquirir os bens de necessidade e os luxos da vida com menos esforço, como também aproveitará uma recompensa extra de felicidade que outros nunca irão experimentar.

Fortunas adquiridas pelo esforço cooperativo não infligem cicatrizes nos corações de seus donos, coisa que não se pode dizer de fortunas adquiridas por métodos conflitantes e competitivos que beiram a extorsão.

A acumulação de riqueza material, seja de artigos de necessidade ou luxos, consome a maior parte do tempo em nossa luta terrena. Se não podemos mudar essa tendência materialista da natureza humana, podemos pelo menos mudar o método de busca, adotando a cooperação.

A cooperação oferece uma recompensa dupla, provendo os itens básicos, os luxos da vida e a paz mental que os avarentos nunca terão. O avarento e ganancioso pode adquirir uma grande fortuna em riqueza material, isso não há como negar, mas terá vendido a alma por um prato de lentilhas.

É certo que ninguém chega ao triunfo sem espírito cooperativo, isto é, se não souber trocar experiências e tirar proveito dos benefícios trazidos por pessoas que possuem habilidades diferentes das suas. Uma firma de advocacia precisa de profissionais especializados em diferentes áreas e com diferentes perfis para atuar em todas as frentes. Uma universidade só pode funcionar adequadamente se tiver professores de diversas disciplinas atuando em conjunto na difusão do conhecimento.

Além de tudo isso, "cooperação é a base de toda liderança bem-sucedida", pontuou Napoleon Hill. A habilidade em obter cooperação para atingir seus objetivos é uma das marcas do líder. A maioria dos indivíduos que acumulou grandes fortunas é conhecida pela capacidade de organização que, entre outras coisas, lhes permitia garantir e administrar o esforço cooperativo dos colaboradores, mantendo-os motivados, comprometidos e em harmonia.

Não é possível imaginar um líder bem-sucedido que não consiga obter colaboração por parte da sua equipe e que não consiga implantar a mentalidade cooperativa na interação entre os integrantes. A cooperação no seio de um grupo é o que lhe confere poder. Sem espírito cooperativo não há união. Sem união não há poder. Todo líder genuíno instila na equipe o espírito de camaradagem, a vontade de colaborar.

A cooperação é a base do MasterMind. Sem espírito cooperativo entre seus membros, a aliança de MasterMind deixa de existir.

De zero a dez, como está a sua habilidade de conseguir que as pessoas façam mais que o combinado?

Capítulo 14

Tirar proveito do fracasso

De saída, vamos distinguir "fracasso" de "derrota temporária". Muitas vezes fracasso nada mais é do que derrota temporária. E derrota temporária em geral é uma bênção disfarçada, pois redireciona nossa energia por linhas diferentes e mais desejáveis. Nem derrota temporária nem adversidade equivalem a fracasso na mente de quem olha para essas experiências como uma lição necessária.

Diz Napoleon Hill: "Cada adversidade, cada fracasso, cada derrota, carrega consigo a semente de um benefício igual ou maior".

Nada como a experiência em primeira mão para comprovar a eficácia de um ensinamento. Hill codificou a Lei do Sucesso não apenas observando pessoas bem-sucedidas, mas testando ele mesmo todos os princípios de sua filosofia, inclusive este aqui. Hill escreveu com autoridade sobre o fracasso. Sua carreira foi pontilhada por altos e baixos.

Dar a volta por cima é a marca registrada das pessoas bem-sucedidas. A história comprova que os grandes líderes sempre encaram grandes obstáculos antes de triunfar. Olhavam o fracasso como pedagógico. E triunfaram por se recusar a aceitar as derrotas. Não existe conquista sem trabalho árduo, sem persistência, sem resiliência, sem força e ânimo para retomar o rumo a cada queda. Esse é o selo do triunfo. Sucesso exige garra, determinação, perseguição implacável de uma meta. Nunca desistir é o lema dos triunfadores.

O fracasso sobrevém a todos uma hora ou outra na vida. Esteja certo de que, quando chegar a sua vez, você vai aprender alguma coisa valiosa. E, se agir como Napoleon Hill e outros triunfadores, poderá usar a experiência adquirida com a derrota como trampolim para o sucesso.

O manuscrito original contém um relato detalhado de sete momentos críticos enfrentados por Napoleon Hill, nos quais ele perdeu tudo. Ele conta que o sétimo foi a Primeira Guerra Mundial, que o levou de novo à falência. No Dia do Armistício, o autor teve o *insight* que mudaria sua vida: decidiu que publicaria uma revista para difundir a filosofia da realização pessoal em que trabalhava já havia vinte anos. E assim fez. A Lei do Sucesso tomaria forma pouco depois, no início de 1920, enquanto ele percorria o país declamando suas ideias. Leia como foi:

> Durante minha turnê de palestras, estava sentado em um restaurante de Dallas, no Texas, observando a maior tempestade que já tinha visto. A água derramava-se sobre a vidraça em duas grandes torrentes, e, brincando de um lado para o outro dessas torrentes, havia outras menores, formando o que parecia uma grande escada de água.
>
> Enquanto olhava a cena incomum, lampejou em minha mente o pensamento de que eu teria uma esplêndida palestra se organizasse tudo que havia aprendido a partir dos sete momentos críticos de minha vida, mais tudo que havia aprendido ao estudar as vidas de homens bem-sucedidos, e oferecesse sob o título de "Escada mágica para o sucesso".
>
> Nas costas de um envelope, esbocei os quinze pontos de base e mais tarde transformei esses tópicos em uma pa-

lestra construída literalmente a partir das derrotas temporárias descritas nos sete momentos críticos de minha vida.

Tudo de valor que acredito saber é representado por esses quinze pontos, e o material de onde esse conhecimento foi coletado é nada mais, nada menos que o conhecimento imposto a mim por experiências que são sem dúvida classificadas por alguns como fracassos.

Como diz Emanoel Beserra, eminente pensador amazonense, os vencedores são pessoas que não se conformam com o fracasso, são ex-perdedores que ficaram furiosos, cansaram de perder. O dia em que você ficar irado com seu fracasso é o dia em que começará a vencer.

> **A vitória começa dentro de você, na sua forma de jogar. Tem gente que joga para ganhar e gente que joga para não perder. Quem joga para não perder se contenta com o empate porque tem medo da derrota, da dor da perda. Quem joga para ganhar sabe que a derrota faz parte e não afunda quando ela acontece. Todo ganhador de dinheiro é também um perdedor de dinheiro porque investe e arrisca.**

Apenas quem se arrisca a ter grandes fracassos alcança grandes sucessos. O fracasso é o adubo da grande realização dos vitoriosos. O fracasso forja o melhor dos aços: o aço da experiência.

Qual a melhor atitude a adotar em períodos de turbulência, quando sentimos o amargor de uma derrota? A primeira coisa a fazer é encarar como algo temporário e não definitivo. Ponha isso na sua cabeça de uma vez por todas. Aquilo que parece o fim na verdade é um novo começo. Tenha isso como certeza.

A hora do fracasso é o momento de introspecção, de avaliar o que foi feito de errado e aprender com o erro. É hora de apelar para a fé, de acreditar no poder de recuperação e ter em mente que nada é impossível quando se deseja com intensidade e se trabalha com foco e força na direção do objetivo.

Charles Kettering foi um especialista em gestão de fracassos, como todo inventor. Engenheiro, empresário, fundador da fabricante de autopeças eletrônicas Delco (hoje uma divisão da General Motors), chefe de pesquisa da GM de 1920 a 1947 e detentor de 186 patentes, Kettering também deixou frases famosas, muitas delas sobre o fracasso. Confira:

- "Você fracassa em direção ao sucesso."
- "Acredite e aja como se fosse impossível fracassar."
- "Nosso maior trabalho é ensinar um funcionário recém-contratado a fracassar de maneira inteligente. Temos que treiná-lo a experimentar repetidamente e continuar tentando e fracassando até descobrir o que vai funcionar."
- "Precisamos ensinar aos homens de grande educação que não é desgraça fracassar e que eles devem analisar cada fracasso para encontrar sua causa. Devem aprender a fracassar de maneira inteligente, pois fracassar é uma das maiores artes deste mundo".
- "Um inventor fracassa 999 vezes e, se acertar uma vez, está dentro. Ele simplesmente trata os fracassos como prática de pontaria."
- "Não importa se você tenta, tenta, tenta de novo e fracassa. O problema é se você tenta, fracassa e aí deixa de tentar de novo."

- Napoleon Hill sempre dizia que toda adversidade traz consigo a semente de um benefício equivalente ou maior. Para fazer a semente brotar, a receita é a seguinte:
- Enfrente a derrota honestamente, nunca falsifique um fracasso.
- Explore o fracasso, não o desperdice, aprenda tudo o que puder com ele.
- Nunca use o fracasso como desculpa para não tentar de novo.

Muitas vezes, o ensinamento demora a aparecer. Daí a necessidade de manter a concentração firme no objetivo principal definido, a autoconfiança, o entusiasmo, a imaginação, o autocontrole, o pensamento preciso e seguir fazendo mais do que o esperado. É primordial reconhecer que não existe crescimento, evolução e sucesso sem percalços. Hill aprendeu isso a duras penas. Aprendeu também que os fracassos moldaram seu caráter, conferindo-lhe coragem para enfrentar todas as condições adversas. São dele as seguintes palavras:

> Sou feliz por ter experimentado tantas derrotas. Elas tiveram o efeito de me preparar com coragem para realizar tarefas que eu sequer teria começado se estivesse cercado de influências protetoras. A derrota é uma força destrutiva apenas quando aceita como fracasso. Quando aceita como ensinamento de alguma lição necessária, é sempre uma bênção.

Os fracassos são testes para nossa resiliência, resistência à frustração e capacidade de superação. Quem não é capaz de suportar frustração desenvolve aversão a riscos. Aversão a risco conduz à estagnação, ao convencional e à mediocridade. Essa lei natural seleciona e destaca os mais fortes, os triunfadores.

Um ingrediente indispensável na hora das dificuldades é o otimismo. Gente pessimista tem foco no perigo e na escassez. Quando encara uma situação difícil, o pessimista tende a ver o cenário como definitivo. Aí fica difícil reunir forças e motivação para seguir em frente e virar o jogo.

O otimista acredita que as situações adversas vão melhorar. Confia em si e na sua capacidade de responder aos desafios. Em caso de derrota, tira proveito do fracasso usando-o como aprendizado. Se ocorre uma tragédia, o otimista consegue lidar com sua dor. O otimista corre riscos com maior serenidade que os pessimistas porque espera o melhor.

Nossa realidade depende de como olhamos a vida. "Você pode fazer se acreditar que pode" e "Tudo o que a mente humana consegue conceber, ela pode conquistar" são frases que Napoleon Hill repetia constantemente.

Quando enfrentar uma situação ruim, lembre-se do seguinte comentário de Hill:

> Ninguém tem o direito de rotulá-lo como um fracasso, exceto você mesmo. Se em um momento de desespero você ficar inclinado a se rotular de fracassado, lembre-se das palavras do filósofo Creso, conselheiro de Ciro, rei da Pérsia: "Existe uma roda na qual os assuntos dos homens revolvem-se, e seu mecanismo é tal que impede qualquer homem de ser sempre afortunado". A roda está sempre girando. Não podemos impedir a roda do destino de girar, mas podemos modificar as desventuras que ela traz, lembrando que a boa sorte virá a seguir, se mantivermos a fé em nós e fizermos o melhor com seriedade e honestidade.

Napoleon Hill considerava o poema de Angela Morgan o melhor já escrito sobre o fracasso e o reproduziu na íntegra em *O manuscrito original* e *A escada para o triunfo*. Faremos o mesmo aqui para inspirá-lo:

Quando a natureza quer um homem

Quando a natureza quer treinar um homem,

E entusiasmar um homem,

E adestrar um homem.

Quando a natureza quer moldar um homem

Para desempenhar a mais nobre função

Quando ela anseia de todo coração

Criar tão grande e ousado homem

Que todo mundo há de louvar –

Assista ao seu método, observe seus meios!

Como ela impiedosamente aperfeiçoa

A quem regiamente elege;

Como ataca e fere

E com poderosos golpes o converte

Em moldes de barro que só a natureza entende,

Enquanto o coração dele chora e suplicam suas mãos!

Como ela se curva, mas jamais se quebra,

Quando do bem dele se encarrega.

Como ela usa a quem escolhe

E o funde com todo propósito,

Por todas as artes o induz

A exibir o esplendor.

A natureza sabe o que faz.

Quando a natureza quer tomar um homem,

E sacudir um homem,

E acordar um homem;

Quando a natureza quer que um homem

Faça a vontade do futuro;

Quando ela tenta com toda a habilidade

E anseia com toda a sua alma

Criá-lo vasto e completo,

Com que astúcia o prepara!

Como o incita e nunca o poupa,

Como o atiça e o aborrece,

E na pobreza ele cresce...

Como ela muitas vezes decepciona

Quem sagradamente unge,

Com que sabedoria o esconde,

Sem se importar com o que sucede,

Apesar do gênio dele soluçar em desprezo,

E seu orgulho não poder esquecer!

O faz lutar ainda mais.

Faz dele solitário,

De modo que apenas

Mensagens de Deus possam alcançá-lo,

De modo que ela possa com certeza lhe ensinar

O que a Hierarquia planejou.

Embora ele não possa entender

Dá-lhe paixões para reger.

Agora sem remorso o esporeia,

Com ardor tremendo o agita

Quando o prefere cruelmente!

Quando a natureza quer nomear um homem

E afamar um homem

E domar um homem;

Quando a natureza quer envergonhar um homem

Para que ele faça o seu melhor;

Quando ela aplica o maior teste

Que o julgamento pode trazer –

Quando ela quer um deus ou rei!

Como ela o controla e restringe,

Assim, seu corpo mal o contém

Enquanto ela o inflama

E inspira!

Mantém-no ansioso,

Sempre ardente por uma meta tantalizante,

Seduz e dilacera a sua alma.

Define um desafio para o seu espírito,

Eleva-o quando ele se aproxima;

Faz uma selva para ele transpor;

Faz um deserto que ele teme

E subjuga se puder.

Assim a natureza faz um homem.

Então, para testar a ira do espírito dele,

Arremessa uma montanha em seu caminho,

Coloca uma escolha amarga diante dele

E implacavelmente ergue-se sobre ele.

"Suba ou pereça!", ela diz...

Assista ao seu propósito, observe seus caminhos!

O plano da natureza é maravilhosamente bondoso,

Pudéssemos nós entender sua mente.

Tolos são os que a chamam de cega.

Quando os pés dele estão rasgados e sangrando,

Todavia seu espírito eleva-se alheio a isso,

Todos os seus poderes superiores acelerando-se,

Abrindo novos e ótimos caminhos;

Quando a força que é divina

Pula para desafiar cada fracasso e seu ardor ainda é doce,

E o amor e a esperança ardem na presença da derrota...

Eis a crise! Eis o grito

Que deve invocar um líder.

Quando as pessoas precisam de salvação

Ele vem para liderar a nação.

Então a natureza revela seu plano

Quando o mundo descobre – um homem!

Lembre-se: cada fracasso traz dentro dele a semente da vitória! Como você vem lidando com os seus fracassos?

Capítulo 15

Ser tolerante

"Não é seu dever ser tolerante. É seu privilégio. A tolerância evita os efeitos desastrosos de preconceitos raciais e religiosos que acarretam derrota às milhões de pessoas que se permitem emaranhar em discussões tolas sobre tais assuntos, envenenando a própria mente e fechando as portas para a razão e a investigação. A tolerância é gêmea do pensamento preciso pelo fato de que ninguém pode se tornar um pensador preciso sem ser tolerante."
– Napoleon Hill

Tolerância é a virtude de aceitar as diferenças e o que é diferente. Ser tolerante é ser plural como o universo. Ser tolerante é ser universal. A tolerância deveria ser a primeira de nossas qualidades, afinal, somos imperfeitos. A intolerância nos torna amargos, improdutivos, ranzinzas e rancorosos. A intolerância é a mãe de todas as tragédias. Decida de uma vez por todas exercer o privilégio de manter a tolerância na base de suas decisões.

A intolerância é um dos piores defeitos da personalidade, afetando de maneira destruidora nosso discernimento, roubando-nos a capacidade de pensar com exatidão. Tolda a mente de tal maneira que impede o indivíduo de raciocinar com lógica, imparcialidade e lucidez. É uma destruidora de amizades e causadora de desavenças, misérias e de sofrimentos. Faça tudo ao seu alcance para que essa inimiga da humanidade não encontre guarida em sua mente e seu coração.

Hill foi especialmente duro ao condenar a intolerância:

A intolerância fecha o livro do conhecimento e escreve na capa: "Fim! Aprendi tudo". A intolerância prende os homens com os grilhões da ignorância e cobre seus olhos com as vendas do medo e da superstição.

A intolerância torna inimigos aqueles que deveriam ser amigos, destrói oportunidades e enche a mente de dúvida, desconfiança e preconceito. A intolerância é a principal causa de todas as guerras, faz inimigos nos negócios e nas profissões, desintegra forças organizadas da sociedade, destrona a razão e a substitui pela psicologia de massas. A intolerância causa desgraças despedaçando as religiões em seitas e denominações que fazem tanto esforço opondo-se umas às outras quanto fazem para tentar destruir os males da humanidade.

Plantar a semente da intolerância é a atividade única e exclusiva de alguns homens. Todas as guerras e outras formas de sofrimento trazem lucro para alguns. Não fosse isso verdade, não existiriam guerras e outras formas de hostilidade.

A intolerância mais amarga brota do preconceito religioso, racial e econômico e das diferenças de opinião. Quanto tempo levará até entendermos a loucura de tentar destruir uns aos outros por causa de dogmas, crenças e outros assuntos sobre os quais não concordamos?

A resolução de conflitos passa necessariamente pela tolerância. O verdadeiro líder compreende isso perfeitamente e sabe ser tolerante e justo. A tolerância em algumas situações é parente do perdão.

O indivíduo que não consegue se despir de seus preconceitos e de suas crenças terá sua carreira profissional comprometida. Por exemplo, se vai negociar com uma pessoa de raça ou religião diferente da sua e é preconceituoso, seus olhos, sentimentos e discernimento estarão contaminados.

> **É na individualidade e na diversidade que reside a beleza da vida.**

É na individualidade e na diversidade que reside a beleza da vida. É preciso ter consciência disso e respeitar as peculiaridades de cada um.

O ser humano não nasce intolerante. O ambiente familiar, social, cultural, religioso, a educação e componentes emocionais e psicológicos podem causar o surgimento de preconceitos e complexos, resistência, desconfiança ou mesmo aversão em relação ao diferente.

Como lidar com isso? O primeiro passo é nos conhecermos, entender como funcionamos e avaliar se esse funcionamento é útil. Segundo, ao entrar em qualquer tipo de relação devemos nos despir ao máximo de nossas resistências culturais para entrarmos puros, livres de preconceitos e então sim fazer a identificação do ambiente, para atuar de forma convergente e aproveitar o máximo da nossa energia e da energia dos demais envolvidos, extraindo o melhor resultado.

Vamos finalizar este breve capítulo com o trecho que encerra a lição sobre intolerância em *O manuscrito original* de Napoleon Hill:

> Quando a aurora da inteligência tiver aberto suas asas sobre o horizonte oriental do progresso e a ignorância e a su-

perstição tiverem deixado suas últimas pegadas nas areias do tempo, será registrado no livro dos crimes e erros do homem que seu pecado mais grave foi o da intolerância.

A intolerância mais amarga brota das diferenças de opinião racial e religiosa como resultado da criação na infância. Quanto tempo, ó mestre dos desejos humanos, até nós, mortais, entendermos a loucura de tentar destruir uns aos outros por causa de dogmas, crenças e outros assuntos superficiais sobre os quais não concordamos?

Nosso tempo nesta terra é quando muito um mero instante fugaz. Como uma vela, somos acesos, brilhamos por um momento e nos extinguimos. Por que não podemos apenas viver essa curta jornada de uma maneira que, quando a grande caravana chamada morte chegar e anunciar sua visita, estejamos prontos para fechar nossas tendas e, como os árabes do deserto, silenciosamente seguir a caravana pela escuridão do desconhecido sem medo e desconfiança?

Não espero encontrar judeus ou gentios, católicos ou protestantes, alemães ou ingleses, franceses ou russos, negros ou brancos, vermelhos ou amarelos quando tiver cruzado a barreira para o outro lado.

Espero encontrar apenas almas humanas, irmãos e irmãs sem raça, crença ou cor, pois espero ter acabado com a intolerância, para que possa deitar e repousar intocado pelo conflito, pela ignorância, pela superstição e pelos desentendimentos que marcam esta existência terrena com caos e aflição.

Como você lida com as coisas quando elas não são como você quer que sejam?

Capítulo 16

A Regra de Ouro

"A Regra de Ouro é basicamente o ganha-ganha. Baseia-se na premissa de que o sol nasceu para todos. Que o sucesso de uma pessoa não é alcançado à custa do fracasso de outra. Faça aos outros o que gostaria que fizessem com você, essa é a Regra de Ouro e a lei básica da vida. É a lei de todos os relacionamentos duradouros. É a essência do mundo interdependente."

– Napoleon Hill

A Regra de Ouro é calçada em um princípio universal, fartamente difundido através da Bíblia, que tem como premissa básica o fato de que nós devemos nos colocar sempre no lugar dos outros, fazer para os outros aquilo que desejaríamos que nos fizessem se estivessem na nossa situação. É a eterna e inexorável lei do retorno: nós colhemos exatamente aquilo que semeamos. "Quem planta ventos colhe tempestades", diz o provérbio.

A palavra perdoar significa desistir em favor de si mesmo. Há pessoas que, quando finalmente conseguem perdoar alguém, sentem um alívio imediato de dores de cabeça crônicas, além de uma série de outros benefícios físicos. Há, inclusive, quem experimente verdadeiros milagres em sua carreira e vida financeira.

É evidente que a vida, cedo ou tarde, fere a todos, mesmo inocentemente. Sabemos também que o tempo é o melhor remédio, e que quem pratica a virtude sempre é recompensado.

Uma pesquisa sobre comportamento empresarial feito pelo Massachusetts Institute of Technology (MIT) prova que ao longo de uma vida, ou seja, a longo prazo, o bem sempre vence o mal. "Mas isso eu já sabia!", você pode neste momento exclamar. Sim, todos nós sabemos, só que agora foi provado de forma rigorosa, usando métodos científicos de investigação. Em mais de 85% dos casos, as pessoas que agem dentro dos padrões éticos de virtude, no final, têm maior probabilidade de serem recompensadas. Segundo os pesquisadores, a verdadeira chave para o assunto está em que o castigo e a recompensa são principalmente intrapsíquicos, isto é, relacionados com a sensação pessoal de felicidade, paz e serenidade, e com a ausência de culpa.

Assim, no que diz respeito às recompensas externas, elas costumam vir em termos de gratificação das necessidades básicas de pertença, de se sentir amado e respeitado e, em geral, de habitar um mundo bom, com verdades e virtudes puras. Ou seja, nossa recompensa na vida não necessariamente ocorre em termos de dinheiro, poder ou nível social.

É também a humanização dos negócios. A moral como paradigma de conduta empresarial. Já falamos, na introdução deste livro, sobre a diversidade do que se imagina como triunfo. O triunfo é algo particular, muito íntimo de cada indivíduo. Enquanto alguns só se consideram triunfadores quando se tornam milionários, donos de grandes empresas, outros podem se contentar com objetivos de vida mais modestos. O importante é identificar o que o faz feliz. Lembremo-nos de que nem sempre o triunfo é associado ao dinheiro, embora reconhecendo que, sem dinheiro, a tarefa de se chegar ao fim almejado é bem mais árdua. Por outro lado, o sucesso medido apenas pelo dinheiro acumulado é uma espécie de castelo de areia. Carece de alicerce, de fundações sólidas. Quem assim pensa até pode conseguir o que pretende, mas manter-se nessa situação por muito tempo depende estreitamente do uso que for feito desse dinheiro.

Na elaboração do seu trabalho, Hill concluiu ser praticamente impossível alguém se manter no topo sem repartir com os outros aquilo que conseguiu. Faz parte do currículo dos grandes homens, vistos como triunfadores em suas respectivas áreas de atuação, a prática da filantropia ou simplesmente o seu empenho em fazer chegar aos seus semelhantes parte dos benefícios que eles próprios granjearam. Aí reside o intuito do Criador, quando nos exorta à prática da Regra de Ouro, que encontra ressonância na pregação de que devemos amar ao próximo como a nós mesmos.

É essa maneira de pensar que alenta a maioria das pessoas acima da média, que conseguiram o que queriam, e principalmente se sentem satisfeitas, sentem-se bem não só com o que têm, como também com o fato de poderem fazer com que outras pessoas se sintam da mesma forma. Os triunfadores são pessoas que trazem dentro de si uma satisfação íntima só conseguida graças ao retorno que recebem pelas boas ações que praticam, pelo bem que espalham ao seu redor. Isso é válido tanto para aqueles que são donos de grandes empreendimentos, ou dirigem grandes organizações, quanto para aqueles que exercem atividades autônomas, os profissionais liberais.

A Regra de Ouro se refere, pois, à conduta ética e moral que devemos ostentar durante a nossa jornada, trilhando o caminho profissional ou pisando no terreno dos relacionamentos, vivenciados no círculo familiar ou no âmbito social. O triunfador é com certeza um ser humano que acredita em Deus, é livre, tem bons costumes, clara noção de moral e normas do bem-viver.

É o princípio do amor se sobrepondo aos sentimentos mesquinhos, como a ganância sem medida, o individualismo sem par, o egoísmo, a intolerância, a inveja e tantos outros negativismos que insistem em se infiltrar no coração do ser humano. É a Regra de Ouro que faz com que o capitalismo não seja selvagem.

O QUE É DIALÉTICA?

A dialética, numa explicação livre, é "o movimento vivo das coisas". Para cada tese existe uma hipótese e uma antítese. Essa regra, que começou com Moisés, o grande legislador da humanidade, se cristalizou com Jesus Cristo e foi percebida como ferramenta empresarial por Napoleon Hill. Ao longo das décadas, foi ganhando vida própria, foi se movimentando. Passou a ser uma espécie de bordão pessoal ou empresarial; por exemplo:

"Minha Regra de Ouro nos negócios é _____".

"Minha Regra de Ouro no amor é _____".

"Minha Regra de Ouro nos esportes é _____".

Essas frases funcionam como uma espécie de norte para suas ações naquela área de sua trajetória. Mais que uma força de expressão, ela representa todo um modo de vida. Pois aquilo em que a pessoa acredita é o que forma suas crenças, o seu senso de realidade, o que sustenta os seus valores. São os valores que moldam o caráter. E o caráter é o que escreve o destino do ser humano. Se minha Regra de Ouro é ser correto, eu ajo dessa forma e atraio pessoas corretas fazendo do meu destino um destino correto.

SUA MISSÃO

Se a visão é o destino aonde você quer chegar, a missão é a estrada para chegar lá. As metas são as paradas para recomposição. Como as paradas para banheiro, lanche e alongamentos na beira da estrada de uma grande viagem. Sua missão é sua Regra de Ouro. Em cada área chave da sua vida você deve construir uma sólida Regra de Ouro, e uma para sua vida global.

Qual a sua missão? A palavra *missão* quer dizer *enviar*. A palavra ganhou significado próprio ao longo do tempo e hoje tem como sentido razão de ser. Por que você foi enviado? Um percentual muito significativo da população passa pela vida sem saber sua missão. Como descobrir a sua?

Existe um exercício muito interessante que o ajudará a encontrar a sua missão. Sente-se em um lugar tranquilo, relaxe, feche os olhos e visualize a sua lápide. Seu epitáfio. Qual frase você vê escrita abaixo do seu nome? Se conseguir ver claramente a frase do seu epitáfio, você terá encontrado sua missão na vida. Pois viverá sua vida de acordo com essa frase. É um exercício profundo! Estará construindo sua Regra de Ouro. Se este exercício o assusta, trabalhe o seu medo da morte.

A doutora Elisabeth Kübler-Ross, autora de obras como *A roda da vida*, *A morte – um amanhecer* e *Sobre a morte e o morrer*, fala algo muito bonito em seus livros: "Uma vida com significado é uma vida com propósito. Quem sabe a sua missão tira mais da vida".

Uma vida sem uma Regra de Ouro é presa fácil dos desvios que surgem no caminho. A missão faz com que o universo conspire a seu favor, pois sua vida se organiza para isso.

Nossa missão de vida

"Minha missão é agregar valores, inspirar as pessoas a viverem suas visões mais elevadas, desenvolvendo suas potencialidades latentes através de processos de desenvolvimento, de palestras, cursos, seminários, das histórias que vivi, que coletei, e parábolas que colecionei para que os participantes encontrem o que desejam."

– Jamil Albuquerque

"Minha missão é ser entusiasta em tudo aquilo que realizo em minha vida; com isso, sou uma pessoa de resultados; e sempre que houver outras partes envolvidas, aplicar o método ganha-ganha."
– Walter Kaltenbach

"Minha missão é despertar a consciência, o eu interior das pessoas para uma vida mais intencional. Conquistar o sim das pessoas para um novo olhar sobre o mundo, apoiando na construção da sua visão em torno de um objetivo principal mais bem definido e harmonioso."
– Márcio Abbud

MINHA REGRA DE OURO

Eis alguns exemplos de empreendedores brasileiros de êxito que têm sua Regra de Ouro muito bem definida.

Todo grande homem ou mulher de negócios coleciona, ao longo de sua trajetória, um conjunto de ensinamentos que serve como atalho para o sucesso. São lições e crenças que nem sempre estão escritas nos livros de administração, mas cuja aplicação foi ou é decisiva para a história da empresa. A experiência, o exercício constante, com seus erros e acertos, estão na essência das regras empresariais.

Para elaborar uma cartilha que sintetizasse a sabedoria prática do mundo dos negócios, a revista *Exame* consultou alguns dos mais importantes e bem-sucedidos executivos, empreendedores e empresários brasileiros. Somadas, as empresas que comandam ou controlam como acionistas geram receitas de mais de 75 bilhões de dólares por ano.

Foi perguntado a essas pessoas qual era a sua Regra de Ouro, o principal mandamento sobre o qual elas norteiam a rotina de suas empresas. São princípios dos quais não abrem mão. O depoimento de cada um deles contribui para formar um precioso conjunto de princípios fundamentados sobretudo no bom senso, valiosos para o sucesso no mundo dos negócios.

Dividir para multiplicar

"Esta é uma regra que sempre norteou minha atuação empresarial desde o tempo de vendedor de coxinhas no interior de São Paulo. Como meu pensamento era grande e os recursos eram poucos, sempre construí parcerias para diminuir riscos e ampliar potenciais. Foi este binômio, pensamento grande com capacidade de perceber que dividir era multiplicar, que me trouxe de vendedor de coxinhas a construir uma das maiores holdings de franquias da América Latina."

– José Carlos Semenzato
Presidente do Conselho da SMZTO, *holding* de franquias

Foque no futuro e busque lá o que fazer hoje para chegar no seu objetivo

"O passado serve como referência, não é direção e jamais serve como residência. Quem vive remoendo o passado distorce o presente e compromete o futuro. Quem busca no passado a inspiração tem um futuro mecânico e automático, composto por medos, frustrações e esperanças, mas sempre repetitivo. Mude a linguagem e mude seu mundo. Reescreva seu futuro a partir de uma transformação linguística no presente orientada para resultados futuros."

– Itamar Serpa Fernandes
Fundador da Instituição Embelleze

Nunca se desespere por causa de um dia ruim — e nunca tome decisões embalado por um dia bom

"Esse é um dos melhores conselhos que recebi. Foi meu pai quem me deu e sempre é muito valioso tanto em momentos de desespero quanto nos de euforia. É comum que o ânimo caia quando os resultados vão mal, e também é comum que, com a melhor das intenções, você tenha um impulso irresistível para aproveitar uma grande oportunidade de negócio. Todo dia chega ao fim, para o bem e para o mal. Se está tudo dando errado, calma. Amanhã pode ser diferente. Se tiver tranquilidade, você dorme e levanta com nova energia para resolver as coisas. Em momentos de euforia, você pode tomar uma decisão apressadamente e cair no abismo. Em vez disso, pense cuidadosamente. Com exceção de casos excepcionais, jamais tome uma decisão sob ansiedade."

– David Feffer
Presidente da Suzano Holding

Tenha sempre em vista o seu sucessor

"Buscar a perenização de um negócio é a coisa mais importante que qualquer empresário pode e deve fazer. Para isso, é fundamental que a sucessão dos líderes seja uma preocupação constante. Uma maneira de encaminhar a sucessão é identificar quais profissionais, dentre os principais talentos da empresa, podem se transformar em sócios. É fundamental que eles gostem da empresa, sintam prazer em trabalhar nela e queiram fazê-la crescer. Um processo bem realizado de seleção de talentos garante continuidade à empresa e a manutenção dos seus princípios e da sua cultura."

– Jorge Paulo Lemann
Acionista da Inbev e das Lojas Americanas

Acredite em sua intuição – mesmo contra argumentos racionais

"A Natura não existiria hoje sem essa premissa. No início, toda análise puramente racional indicava que o melhor a fazer seria jogar tudo para o alto e voltar a procurar emprego numa multinacional. Demoramos anos para ter resultados. Mas eu nutria uma convicção de que ia dar certo, totalmente baseada em intuição e na percepção que tinha ao atender diretamente as clientes no balcão. Muitas vezes, não sabia se ia dar para pagar a conta de luz no fim do mês. Mas eu era obstinado, estava completamente apaixonado e percebia a oportunidade que havia ali. Quando existe um sonho que não sai da sua cabeça, não deixe nada te abater pelo caminho."

– Luiz Seabra
Sócio-fundador da Natura

O modo mais fácil de botar um barco a pique é colocar dois comandantes a bordo

"Esse foi um dos primeiros conselhos que recebi na minha vida profissional – e um que eu sigo até hoje. Na época, meu pai era o presidente do grupo Algar e eu estava começando a acompanhá-lo na condução dos negócios. Já dividia algumas decisões importantes com ele e queria sempre impor a minha visão. Nós brigávamos muito nessa época. Foi quando um professor da faculdade que eu cursava disse a frase acima. Tinha tudo a ver com o momento que eu estava vivendo. Refleti e me dei conta de que o comandante era o presidente, meu pai. Dali em diante ficou claro que a passagem de poder tem de ser uma corrida de bastão – na qual quem o entrega e quem o recebe correm juntos e cedem e tomam espaços de maneira gradual e harmônica. Não dá para ter duas pessoas com as mesmas atribuições ao mesmo tempo."

– Luiz Alberto Garcia
Presidente do Conselho da Algar

Procure problemas grandes, não aceite resolver problemas pequenos

"Se tiver um problema pequeno na sua mesa, ponha alguém para resolvê-lo. Tenho uma equipe de confiança para quem posso entregar e dizer 'este é seu, resolva'. Estou aqui para criar grandes soluções, duradouras, que mudem a trajetória do negócio. Isso não significa que os pequenos problemas devam ser esquecidos e não resolvidos. É preciso cobrar os responsáveis. O grande desafio para um chefe é decidir quando tomar o problema para si e quando delegar sua solução. Erros de avaliação acontecem. Nessas horas é preciso reconhecer a falha e mudar de rumo."

– Marcio Utsch
Diretor-presidente da São Paulo Alpargatas

Um inimigo conta por um milhão de amigos

"Talvez o mais importante no mundo dos negócios seja a arte da boa convivência. E nesse caso só existe uma fórmula: olho no olho, sinceridade e disposição para conversar e compreender o ponto de vista do interlocutor. Costumo repetir um ditado russo que diz mais ou menos o seguinte: 'Um inimigo conta por um milhão de amigos'."

– Sérgio Andrade
Presidente da Andrade Gutierrez

Cuidado com as boas ideias

"Ter disciplina e manter a direção do negócio significa saber dizer não a boas ideias. Ideias tentadoras surgem o tempo todo e, se você não tomar cuidado, elas podem tirá-lo do rumo. Acredito em grandes guinadas e em mudanças estruturais que se tornam necessárias de tempos em tempos. Mas as pequenas

tentações de mudança do dia a dia podem ser um problema. Já experimentamos, por exemplo, vender eletrônicos. No nosso caso, isso só desviou a atenção dos funcionários e confundiu a percepção dos clientes em relação à marca."

– Flávio Rocha
Presidente da Riachuelo

Não "ache" nada

"Um dos maiores equívocos que um executivo pode cometer é tomar decisões de dentro para fora — sem pesquisar mais sobre o caso em si e baseado apenas em 'achismos'. Os argumentos que começam com 'eu acho' são fatais (e o pior é que a experiência acumulada normalmente te faz passar a achar mais e mais). Qualquer que seja a sua estratégia, não se esqueça de que ela tem de ser feita de fora da empresa para dentro."

– Marcos Magalhães
Presidente da Philips

Tenha seus próprios oráculos

"Sempre procuro ouvir o que pessoas que considero geniais têm a dizer sobre o meu negócio. Quem não divide o dia a dia comigo sempre vê as coisas de outra perspectiva. A ideia de abrir lojas fora do país, por exemplo, surgiu três anos atrás, numa conversa com meu oráculo e amigo João Alves de Queiroz Filho, o Júnior, dono da Assolan. Ele abriu meus olhos para uma possibilidade nova. Eu estava satisfeito e tranquilo com o resultado da marca no Brasil e mais a fim de pegar onda e velejar. A expansão internacional deu fôlego a meu negócio e me revigorou como empresário."

– Carlos Miele
Proprietário da M.Officer

Pensar pobre não é virtude

"Pensar pobre, pensar pequeno, parece ser uma virtude no Brasil. As pessoas foram criadas para ter uma mentalidade do tipo 'eu não posso, eu não tenho tempo, eu não quero ouvir, não é o momento'. Nunca falo que não posso, não quero, não vou fazer. Aprendi com minha mãe. Quando era criança, eu adorava dar presentes. Minha mãe nunca dizia que não era possível. Ela simplesmente falava: 'Quer dar? Então vá lá, trabalhe e compre'. Quando perguntam para minha tia, a fundadora do Magazine Luiza, se ela está interessada em comprar mais uma rede de lojas, sua resposta imediata nunca é não. Mesmo que saiba que o negócio naquele momento não é possível, ela pede para marcar um almoço e discutir a proposta. Não se paga nada para pensar. Então, para que pensar pequeno?"

– Luiza Helena Trajano
Superintendente do Magazine Luiza

As empresas de um homem só não sobrevivem

"Se quer ter sucesso profissional, cerque-se dos melhores. Não tenha medo de dividir o poder com profissionais tão bons ou melhores do que você. E, principalmente, cuide para que essas pessoas tenham perfis diferentes entre si. Essa é a única forma de evoluir."

– Clovis Tramontina
Presidente da Tramontina

Se a negociação for fácil demais, desconfie

"Os melhores negócios que já fiz na vida exigiram muito esforço para chegar a um acordo. Os que tiveram um desfecho rápido sempre se provaram complicados mais tarde. A ansiedade é o pior veneno numa negociação. Não

se pode demonstrá-la, ainda que o que esteja na mesa seja o negócio da sua vida. Um dos maiores testes pelos quais passei foi a compra da marca União, da Copersucar. A aquisição dobraria o faturamento da minha empresa. Levamos oito meses para bater o martelo."

– Roberto Barbosa
Presidente do Grupo Nova América

Cuide bem do filho do seu funcionário

"Pode parecer um conselho periférico, mas quando cuidamos bem dos filhos dos nossos funcionários, criamos uma relação de confiança, amizade e de envolvimento com os comandados. Quebramos todas as resistências que podem surgir das relações conflituosas entre empregado e empregador. Faz bem à saúde do próprio negócio. Isso pode evitar casos como os escândalos ocorridos anos atrás em empresas americanas, quando funcionários acrescentaram substâncias venenosas a alguns produtos. Funcionários devem ser aliados, e não inimigos."

– Victor Siaulys
Presidente do Conselho do Aché

Para saber a causa real de um problema, pergunte três vezes o porquê

"Quando alguém relata um problema e você pergunta por que ele aconteceu, a primeira resposta nunca é a causa real. Em geral, as pessoas dizem algo genérico ou dão uma desculpa, em vez de uma explicação. Por isso, sempre repito a pergunta três vezes. Ao final desse processo, ou chego à real causa do problema ou percebo que a pessoa que o apresentou não tem ideia sobre o que está falando."

– Manoel Amorim
Diretor da Telefónica Internacional

Qualquer negócio pode ser reinventado, mesmo o mais simples

"Aprendi isso quando tive de assumir a padaria criada por meu pai, morto num assalto. Eu era o primogênito e a família só tinha a padaria para se sustentar. Aprendi a fazer pão e virei padeiro. Identifiquei a melhor farinha para fazer o melhor pão da região. Aprendi a vender barato. Na época, o preço do pão era tabelado, mas eu o vendia com desconto de 30%. Fiz uma promoção em que o cliente, se comprasse dez pães, levava 12. Substituí os funcionários ruins. A padaria, que era a pior da área, virou a melhor. Os clientes faziam fila na porta. Percebi que mesmo em mercados aparentemente simples é possível se destacar dos concorrentes. Até hoje sigo essa fórmula."

 – Alberto Saraiva
Presidente e fundador do Habib's

Faça suas próprias pesquisas de mercado

"Quando ainda presidia a Cofap, fizemos uma campanha com um cachorrinho que ficou famosa. Um dia, durante um voo, distribuíram para os passageiros um folheto da campanha. Sem me identificar, perguntei ao sujeito na poltrona vizinha o que ele tinha achado do material. Apesar de termos feito uma pesquisa exaustiva, ele falou coisas que eu nem tinha imaginado. Desde então, procuro conversar com potenciais consumidores. Passageiros que se sentam a meu lado em aviões e motoristas de táxi são meus alvos favoritos."

 – Cledorvino Belini
Presidente da Fiat

Não seja apenas um técnico

"Num dos meus primeiros dias trabalhando com o comandante Rolim, fundador da TAM, ele me pegou no corredor (como costumava fazer com todo mundo) e me disse que um administrador tem de ser um líder, e não apenas um técnico. A grande diferença entre um e outro é que o primeiro lida com pessoas, enquanto o segundo lida com coisas. Ao lidar com pessoas, você tem de transmitir valores, metas e entusiasmo. E ouvir, claro. Às vezes, ouve-se até o que não quer. Eu acabara de assumir a vice-presidência de finanças e administração. Desde então, a regra do comandante virou a minha regra."
– Marco Antonio Bologna
Ex-presidente da TAM

Qual frase você quer escrita na sua lápide? Qual o seu legado? O que você está fazendo na vida que é maior que você?

Capítulo 17

A força do hábito

"O hábito é como uma corda; nós tecemos um fio dela a cada dia e, finalmente, não conseguimos rompê-la. É aquilo que mora profundamente dentro do nosso ser. Somos aquilo que fazemos repetidamente."

– Napoleon Hill

Chegamos agora à Lei da Força do Hábito — a lei universal através da qual a Natureza agrega todas as forças, de modo que os hábitos possam prosseguir automaticamente uma vez que tenham sido postos em ação. Esta lei se aplica aos hábitos de natureza humana da mesma maneira que se aplica aos do universo.

A Força do Hábito é a interiorização de tudo que estudamos até aqui. A codificação de Napoleon Hill dos atributos necessários para o triunfo pessoal foi uma filosofia evolutiva, que começou com um número indefinido de teorias gerais e foi desenvolvida em quinze princípios específicos, os quais mais tarde cresceram para dezesseis, e finalmente para dezessete princípios, compondo as Leis do Triunfo.

Esta lição, a Lei Universal da Força do Hábito, define o décimo sétimo princípio na evolução da filosofia de Hill. Embora essa lei pudesse vir a ser parte de muitos de seus trabalhos posteriores, ela não se desenvolveu no tempo suficiente para fazer parte das edições originais de *O manuscrito original*. Foram quinze princípios que se tornaram as quinze principais lições da primeira edição do livro. Nas edições posteriores, o número de princípios e lições foi expandido para dezesseis, quando Hill entendeu que o MasterMind – que compunha a introdução da primeira edição – era de fato um princípio separado, mas integrante do todo.

Após a bem-sucedida publicação de *O manuscrito original*, Hill proferiu muitas conferências e escreveu numerosos livros sobre o tema, incluindo seu clássico *best-seller Quem pensa enriquece – Edição oficial e original de 1937*, e, junto com seu sócio, Clement Stone, *A fórmula de sucesso que nunca falha*. Mais tarde, Hill imaginou que haveria outro princípio que, com efeito, uniu-se aos outros. Ele chamou esse princípio de A Força do Hábito, que foi também referido como A Lei Universal. Clement Stone a chamava de O Segredo!

Recorremos aos escritos posteriores de Napoleon Hill, *A chave para a prosperidade* e *Como aumentar seu próprio salário*, para dar forma à evolução final da filosofia de Hill. A inclusão dessa 17ª lei torna essa interpretação mais completa.

A Força do Hábito é a maior das leis da natureza. É o controle natural por meio do qual todas as outras leis da natureza são coordenadas, organizadas e operadas de forma metódica e sistemática. É a aplicação particular da energia com a qual a Natureza mantém o relacionamento entre os átomos da matéria, as estrelas e os planetas em seu contínuo movimento, as estações do ano, dia e noite, saúde e doença, vida e morte.

Nós vemos as estrelas e os planetas se movendo com tal precisão que os astrônomos podem predeterminar sua localização exata e seu inter-relacionamento por um grande número de anos futuros.

Nós vemos as estações do ano indo e vindo com uma regularidade cronométrica. Sabemos que uma árvore de carvalho brota de uma semente de carvalho, e um pinheiro nasce da semente de seus ancestrais; que uma semente de carvalho nunca comete um erro e produz um pinheiro, nem uma semente de pinheiro produz um carvalho. Nós sabemos que nada é criado sem que tenha seus antecedentes similares que o precederam. O fruto doce vem da raiz doce, e o fruto amargo, da raiz amarga.

A Força do Hábito também é um meio por via do qual todos os hábitos e todos os relacionamentos humanos são mantidos em vários graus de permanência. E é também o meio pelo qual o pensamento é transformado no seu equivalente físico, em resposta aos desejos e propósitos dos indivíduos.

Esta filosofia inteira é projetada para guiá-lo nessa importante descoberta e para capacitá-lo a fazer uso do conhecimento que ela revela, colocando-o em harmonia com as forças invisíveis do universo, de maneira que elas possam ajudá-lo a formar os tipos de hábitos que vão levá-lo do que você é para o que você deseja ser na vida. Primeiro nós formamos nossos hábitos, depois os nossos hábitos nos formam.

A DEFINIÇÃO DE HÁBITO

Agora vamos examinar o hábito. O dicionário dá à palavra várias definições, entre elas: disposição ou tendência, fixada devido à repetição; roupagem de frade ou de freira. Hábito, portanto, nos transmite a ideia de algo que nos é familiar. Isso, externamente. Internamente, hábito é uma disposição duradoura, adquirida pela repetição. Em latim, repetição é *bis*.

> **Hábito, portanto, é a força do universo nos sendo familiar. É o piloto automático da mente, mas exige criatividade e imaginação, aquilo que mora profundamente dentro de nós.**

COMO CONSTRUIR HÁBITOS

Hábito é um ritual. Lembre-se de que o hábito o levará mais longe que a paixão. Se você falhar, será em razão do seu hábito. Se você alcançar o sucesso, será por causa do seu hábito. Hill estabeleceu o que ele chama de rituais de honra.

Grandes homens são homens de rituais. Rituais decidem o ritmo da vida. Rituais ajudam quando você está desapontado ou sobrecarregado. Sentimentos podem levá-lo a falhar, rituais, não. Não há na Terra algo tão poderoso como um hábito, um ritual. Certa vez, perguntei a um amigo que corre oito quilômetros diariamente como ele conseguia vencer o cansaço de certos dias. Ele respondeu: "Eu não penso nisso, é meu hábito, é o meu ritual". Hábitos tornam-se instintivos. O que começa como disciplina torna-se um hábito. Disciplina quer dizer aprender com ordem, a arrumação correta das coisas. É uma obrigação concentrada. Nem sempre é um estilo de vida feliz. Precisa de esforço, mas normalmente por tempo limitado, até que surja o hábito. O hábito é algo que você faz com naturalidade, sem esforço e então começa a sentir-se confortável. Qualquer coisa que você faz duas vezes torna-se mais fácil.

A criatividade gera mudança e o hábito cria o futuro. Os hábitos fazem o dia fluir num ritmo fácil. A menos que você aprenda isso, cada esforço para ter êxito será uma experiência fútil e fracassada. O hábito o levará mais longe que o desejo. Quando o desejo se esgota, os hábitos não param. Quando sua paixão desacelera, os rituais o manterão nos trilhos. O seu êxito depende dos hábitos que o movem para o sonho e a meta que você deseja. As pessoas bem-sucedidas fazem diariamente o que as pessoas sem sucesso fazem ocasionalmente. Bons hábitos são difíceis de construir e fáceis de se conviver. Maus hábitos são fáceis de construir e difíceis de se conviver. Você decide seus hábitos e seus hábitos decidem o seu futuro.

Nós estamos onde estamos e somos o que somos por causa dos nossos hábitos.

TRANSMUTAÇÃO DOS PENSAMENTOS

Sucesso atrai mais sucesso, e fracasso atrai mais fracasso — uma verdade que é velha conhecida, mas poucos têm entendimento da razão desse estranho fenômeno.

Nós sabemos que a pessoa que conheceu um fracasso pode alcançar o mais destacado sucesso aliando-se àqueles que pensam e agem em termos de sucesso, mas nem todos sabem que a razão disso ser uma verdade é que a Lei da Força do Hábito transmite a "consciência do sucesso" da mente de uma pessoa triunfadora para a mente de um fracassado quando eles conseguem formar mentes em harmonia.

O HÁBITO DE PENSAR UMA VIDA EM ABUNDÂNCIA

Leia com muita atenção, pois você passa agora a ter acesso a uma das ferramentas mais exequíveis do acelerador do poder pessoal. Tudo que vem até você é atraído pelas imagens que mantém em sua mente. É o que você está pensando. Algumas pessoas sempre souberam disso. São grupos privilegiados de pessoas. Por que você pensa que 3% da população mundial ganha cerca de 90% do dinheiro que é gerado em todo o planeta? Você pensa que isso é um acidente? Isso não é um acidente.

Se você enxergar na mente, você irá segurar na mão.

Esse princípio foi dito há mais de um século pelo filósofo e alquimista Prentice Mulford e pode ser resumido em quatro palavras simples: os pensamentos são coisas. Nossos pensamentos intangíveis estão, de alguma forma, transmutando-se em suas contrapartidas físicas.

MENTE MAIOR

Quando duas mentes estabelecem contato, uma terceira mente é criada. Os maiores triunfadores reconhecem essa verdade e francamente admitem que esse êxito começou com uma associação com alguém de atitude mental positiva, da qual eles consciente ou inconscientemente se apropriaram.

A Força do Hábito é silenciosa, invisível e imperceptível através de qualquer um dos cinco sentidos físicos. É por isso que ela não é tão amplamente reconhecida, pois a maioria das pessoas não é sensível às forças intangíveis da Natureza, nem está interessada em princípios abstratos. No entanto, essas coisas intangíveis e abstratas representam o real poder do universo. Elas são o princípio fundamental de tudo que é palpável e concreto.

Compreenda o funcionamento do princípio da Força Cósmica do Hábito e você não terá dificuldade de interpretar todas as coisas e todos os pensadores de todos os tempos.

Isaac Newton chegou perto do completo reconhecimento dessa lei universal quando fez sua descoberta da lei da gravidade. Ele tinha descoberto que a lei que mantém a Terra no espaço e a relaciona com todos os outros planetas é a mesma lei que relaciona os seres humanos entre si em exata conformidade com a natureza dos seus próprios pensamentos.

A FORÇA DO HÁBITO

É a força que trabalha através dos hábitos estabelecidos. Ao homem sozinho é dado o privilégio da escolha em conexão com seus hábitos de vida, os quais pode fixar pelo modelo dos seus pensamentos — o único privilégio, como se disse anteriormente, sobre o qual qualquer indivíduo tem o direito de controle.

Alguém pode pensar em termos de limitações autoimpostas de medo, dúvida, inveja, cobiça e pobreza, e a Força do Hábito vai transformar esses pensamentos no seu equivalente material. Dessa maneira, alguém pode controlar seu destino — simplesmente exercitando o privilégio de moldar seus próprios pensamentos.

Uma vez que esses pensamentos tenham sido moldados em sua forma definitiva, eles são guiados pela Força do Hábito e tornam-se hábitos permanentes, e continuam assim até que sejam suplantados por padrões de pensamento diferentes e mais fortes.

Agora nós chegamos à consideração de uma das mais profundas de todas as verdades — a maioria dos que conseguem alcançar os maiores triunfos raramente conseguiram isso antes de terem passado por algumas situações que tocaram fundo em suas almas e os reduziram àquela circunstância da vida que a maioria chama de fracasso.

A razão para esse estranho fenômeno é facilmente reconhecida por aqueles que conhecem a Lei da Força do Hábito, pois isso reside no fato de que esses desastres e tragédias da vida servem para quebrar os hábitos enraizados que levam a pessoa ao fracasso — e então rompem o controle da Força do Hábito, permitindo à pessoa formular novos e melhores hábitos.

As guerras surgem por causa dos desajustes nos relacionamentos entre os povos, como o resultado de pensamentos negativos que cresceram até assumir proporções de massa. O espírito de qualquer nação é a soma total dos pensamentos habituais dominantes do seu povo.

O mesmo é verdade com os indivíduos, pois o espírito do indivíduo também é determinado pelos seus pensamentos habituais predominantes. A maioria das pessoas vive em conflito. De uma maneira ou de outra, ao longo de suas vidas, elas estão em guerra com seu próprio íntimo, combatendo pensamentos e emoções. Elas estão em conflito em suas relações familiares e em suas relações profissionais e sociais.

Reconheça essa verdade e você entenderá o real poder e os benefícios que estão disponíveis para aqueles que vivem de acordo com a Regra de Ouro, que vai livrá-lo dos conflitos pessoais. Reconheça isso e você entenderá também o real propósito e benefícios de um objetivo principal definido, pois, uma vez que ele esteja fixado em sua consciência mediante seus hábitos, será assimilado pela Força do Hábito e conduzido à sua conclusão lógica por qualquer maneira prática que possa estar disponível.

A Força do Hábito não sugere o que você poderia desejar, nem mesmo se seus pensamentos habituais serão positivos ou negativos, mas atua sobre todos os seus pensamentos habituais, cristalizando-os em vários graus de permanência e transformando-os em seus equivalentes físicos, pela inspiradora motivação para agir.

Ele não apenas fixa os pensamentos habituais individuais, mas também os de grupos e coletividades, de acordo com o padrão estabelecido pela preponderância dos seus pensamentos dominantes. Qualquer pensamento retido na mente por meio da repetição começa imediatamente a se transformar em seu equivalente material.

Diz o escritor, filósofo e poeta James Allen: "Você está hoje onde seus pensamentos o trouxeram. Você estará amanhã onde seus pensamentos o levarem".

É triste observar quantos atravessam a vida na pobreza e escassez, embora a razão para isso não seja difícil de entender para quem reconhece o trabalho principal da Força do Hábito.

A pobreza é o resultado direto da "consciência da pobreza", a qual resulta do pensar em termos de pobreza, temer a pobreza e falar em pobreza. Mas, se você deseja saúde, dê ordens ao seu subconsciente para produzir saúde, desenvolva uma "consciência de prosperidade", e verá como rapidamente sua condição econômica vai prosperar.

Primeiro vem a "consciência" daquilo que você deseja. A seguir vem a manifestação física ou mental dos seus desejos. A conscientização é responsabilidade sua. É algo que você pode criar por meio dos seus pensamentos diários ou da meditação, se preferir.

A Lei da Força do Hábito ou Lei Universal é um poder igualmente disponível para o fraco e para o forte, para o rico e para o pobre, para o doente e para o saudável. Ela fornece a solução para todos os problemas humanos.

Cada uma das dezesseis lições anteriores pretendeu apresentar um modelo de desenvolvimento padrão particular e especializado de hábito que é necessário como um meio de se apoderar inteiramente da sua própria mente. O domínio e a assimilação da filosofia, como qualquer coisa desejável, têm um preço definido que precisa ser pago antes que esses benefícios possam ser usufruídos. Esse preço, entre outras coisas, é a eterna vigilância, determinação, persistência e a vontade de fazer o ajuste de contas da sua vida nos seus próprios termos.

Nossas certezas sobre o futuro devem-se à nossa crença no hábito. Acostumamo-nos a ver que o sol nasce todos os dias. Logo, concluímos que ele nascerá também amanhã e no futuro, ou seja, esse conhecimento é fundamentado numa crença que obtemos pela regularidade com que as nossas experiências se repetem, produzindo o hábito. Desse modo, podemos concluir que a nossa mente é um feixe de percepções, pois todas as nossas ideias têm origem na impressão sensível; e que não estamos diante de uma conexão necessária na relação entre causa e efeito, mas diante de uma associação baseada na regularidade de eventos que ocorrem na experiência. Estamos diante de uma explicação bastante plausível do funcionamento da mente humana que nos faz pensar sobre os motivos ou razões pelas quais adotamos determinadas crenças ou opiniões sobre nós mesmos e sobre o mundo. Nossa recomendação para que você tenha uma vida rica e acima da média é a de que deve compreender a Força do Hábito de seus pensamentos positivos, que se transformarão em resultados.

Tarefa para a vida: desenvolva um novo bom hábito por mês.

Conclusão

Você que leu este livro com atenção percebeu que triunfo é início e sustentação de uma ideia, seja ela a construção de uma empresa, um casamento, um sonho ou um projeto de qualidade de vida. Se você já ocupa um cargo de liderança, percebeu que *O manuscrito original* não é um conjunto desconexo de fórmulas milagrosas destinadas apenas a estimular as pessoas, mas sim uma abordagem progressiva e integrada para o desenvolvimento da eficácia pessoal e interpessoal.

Se está em ascensão na carreira, descobriu que o empreendedorismo começa de dentro para fora, que fazer uma ideia se tornar um empreendimento e um empreendimento se tornar uma empresa feita para durar requer princípios e fundamentos, que nosso maior poder é a capacidade de escolha.

Agora é hora de fazer uma autoanálise. Volte lá no início deste livro e atribua uma nota de zero a dez em cada lei do êxito. Depois, ligue os pontos e veja o desenho de sua roda do êxito.

Defina claramente aonde você quer chegar e, se você se mantiver fielmente ocupado com seus objetivos, a cada hora do seu dia, pode, com segurança, deixar o resultado final a si mesmo; uma bela manhã de sua vida, você acordará e estará entre os bem-sucedidos de sua geração.

Já existem muitas mentes brilhantes que desejam e trabalham para um mundo mais próspero e mais justo. Seja você uma dessas mentes também; una-se a nós, nossa força e nossa voz, nessa causa de transformar as pessoas em líderes empreendedores socialmente responsáveis.

E agora nos permita atravessar todo o espaço de tempo que nos separa e lhes oferecer um aperto de mão amigo, parabenizando-o pela educação informal adquirida por meio deste livro para a vida e os negócios.

Esperamos que um dia, ao olhar para trás, veja o tempo que parou para ler esta obra como um marco em sua vida. Então, com gratidão, agradeça a Deus por ter investido em si mesmo. Que Deus te ilumine pela vida afora.

São os votos dos amigos: Jamil Albuquerque, Márcio Abbud e Walter Kaltenbach.

Até a vitória, sempre!

Escrito com um estilo apurado, harmonioso e sobretudo simples – mas não simplista – A arte de lidar com pessoas é um livro charmoso, que une a habilidade com a filosofia nos relacionamentos. Simples porque todas as verdades o são. Ser simples é o caminho mais curto para ser fundamental. Um material formidável, mas não fácil, porém exequível com toda a certeza. São coisas óbvias que ignoramos. Ao colocá-las em prática, encontramos grandes resultados e o óbvio torna-se extraordinário. O paradoxo é que coisas comuns e práticas raramente se transformam em práticas comuns. Embora o leitor possa pensar "isso eu já sabia", ao refletir na sua capacidade de transformar informação em conhecimento, conhecimento em inteligência e inteligência em sabedoria, perceberá que saber "o quê" é bem diferente de saber "como". As ideias são enganosamente simples, mas, na verdade, escondidos neste texto estão princípios e filosofias transformadoras para o aprimoramento individual e cultural. É imprescindível que nos coloquemos como eternos aprendizes diante da vida, repensando nossos paradigmas, renovando os nossos valores e conceitos. Deixe-se conduzir através das páginas desse livro e embarque na viagem proposta por ele para aprimorar a sua inteligência interpessoal.

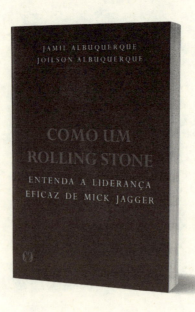

    Este livro é menos sobre a banda de rock e mais sobre a diferença de um líder eficaz em um empreendimento. Os autores examinam a liderança de Mick Jagger usando como filtro um estudo feito por Napoleon Hill entre 1908 e 1928, o qual o tornou um dos dez autores mais lidos de todos os tempos. Na obra você encontrará pistas no comportamento do vocalista da banda para entender como os Rolling Stones foram liderados do ponto de vista dos negócios. A conclusão é que Jagger pode ser definido como um catálogo ambulante das habilidades listadas na pesquisa de Hill. Em "Como um Rolling Stone" você irá descobrir como melhorar sua performance pessoal em uma leitura agradável e instigante. E não se esqueça: você nunca estará velho demais para o rock 'n' roll, nem velho demais para se tornar uma estrela em sua carreira!

Neste livro, inédito no Brasil, você vai descobrir, após 75 anos de segredo, por meio dessa entrevista exclusiva que Napoleon Hill fez, quebrando o código secreto da mente do Diabo: Quem é o Diabo? Onde ele habita? Quais suas principais armas mentais? Quem são os alienados e de que forma eles ou elas se alienam? De que forma o Diabo influencia a nossa vida do dia a dia? Como a sua dominação influencia nossas atitudes? O que é o medo? Como nossos líderes religiosos e nossos professores são afetados pelo Diabo? Quais as armas que nós, seres humanos, possuímos para combater a dominação do Diabo? Qual a visão do Diabo sobre a energia sexual? Como buscar uma vida cheia de realizações, valorizando a felicidade e a liberdade? Essas perguntas e muitas outras são respondidas pelo próprio Diabo, que se autodenomina "Sua Majestade", de acordo com Napoleon Hill. O seu propósito, escrito com suas próprias palavras, é ajudar o ser humano a descobrir o seu real potencial, desvendando as armadilhas mentais que os homens e as mulheres deste mundo criam para si mesmos, sabotando a sua própria liberdade e o seu próprio direito de viver uma vida cheia de desafios, alegria e liberdade.

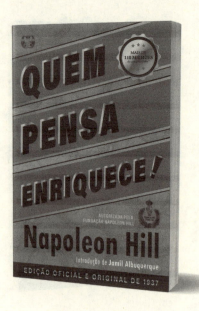

Quem Pensa Enriquece é baseado no resultado de mais de 20 anos de estudo e análise de indivíduos que acumularam fortunas pessoais.

Napoleon Hill estudou os hábitos de 16 mil pessoas, entre elas 500 milionários e os homens mais ricos de sua época, e chegou às "leis" que devem ser aplicadas para a conquista do sucesso.

Quem Pensa Enriquece condensa essas leis dando a você os 13 princípios na forma da "Filosofia da Conquista". Mark Hansen, disse que o tempo mostrou que duas das leis/princípios possuem especial importância:
1) O princípio da Mastermind (Mente Mestra) e
2) A necessidade de um Objetivo Definido.

O livro afirma que desejo, unido à fé e à persistência, pode levar o indivíduo a realizar qualquer feito, desde que este possa se livrar de pensamentos negativos e manter o foco em seu objetivo.

Napoleon Hill tem inspirado as pessoas a alcançarem o seu melhor há mais de oitenta anos. Ele foi o primeiro e mais famoso autor motivacional de todos os tempos e, de fato, os autores de autoajuda mais bem-sucedidos da atualidade devem muito à sabedoria perspicaz de Hill, incluindo algumas de suas melhores ideias.

Agora, as Regras de Ouro: os textos perdidos apresentam os artigos que Napoleon Hill escreveu entre 1919 e 1923, que deram início a tudo. Nunca antes coletados em forma de livro, esses artigos apresentam lições de sabedoria de valor inestimável, as quais são tão aplicáveis hoje quanto eram há quase um século. Com base em entrevistas com magnatas famosos que saíram da miséria e alcançaram a riqueza, como Carnegie, Ford e Edison, eles revelam caminhos comprovados e eficazes para o sucesso que realmente funcionam para qualquer pessoa - ontem, hoje e amanhã. Estes textos agradáveis e empolgantes são repletos de inspiração e motivação, e oferecem uma visão atemporal sobre tópicos fundamentais como o poder da sugestão, construção da autoconfiança, uso da persuasão versus força e a lei da atração.

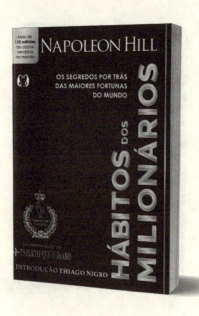

"Um atraente guia para o sucesso. Seus conselhos são eminentes, práticos e sólidos." Publisher's Weekly Napoleon Hill, o lendário autor dos clássicos best-sellers Quem pensa enriquece e Mais esperto que o diabo, foi imortalizado por suas contribuições ao gênero de desenvolvimento pessoal. Neste trabalho inédito, Hill compartilha hábitos-chave que fornecem a base para o sucesso de mudança de vida. Hábitos dos milionários explica as regras fundamentais que constroem uma vida próspera e revisita conceitos já consolidados de Hill, porém de uma maneira totalmente nova e aplicada para a sua rotina. "Preciso fazer um alerta: se você acha que Hábitos dos milionários é só mais um dos vários livros de autoajuda que existem por aí, você está completamente enganado. Este livro, diferente dos outros, é o fruto de um estudo real, de muitos anos atrás, e que conseguiu com êxito identificar os hábitos que fazem parte do dia a dia das pessoas de sucesso. O que ele propõe não é uma criação, mas algo ainda mais valioso: ele propõe a comprovação de que as pessoas mais bem-sucedidas do mundo têm os mesmos hábitos – e propõe lhe ensinar quais hábitos são esses". TIAGO NIGRO

O Grupo MasterMind – Treinamentos de Alta Performance é a única empresa autorizada pela Fundação Napoleon Hill a usar sua metodologia em cursos, palestras, seminários e treinamentos no Brasil e demais países de língua portuguesa.

Mais informações:
www.mastermind.com.br

Livros para mudar o mundo. O seu mundo.

Para conhecer os nossos próximos lançamentos
e títulos disponíveis, acesse:

🌐 www.**citadel**.com.br

f /**citadeleditora**

📷 @**citadeleditora**

🐦 @**citadeleditora**

▶ Citadel – Grupo Editorial

Para mais informações ou dúvidas sobre a obra,
entre em contato conosco por e-mail:

✉ contato@**citadel**.com.br